Los helechos Arborescentes

Francisco Umbral

Los helechos Arborescentes

EDITORIAL ARGOS VERGARA, S. A.
Barcelona

Sobrecubierta
Amand Domènech

Primera edición: junio de 1980

Copyright © 1980, Francisco Umbral
Editorial Argos Vergara, S. A.
Aragón, 390, Barcelona-13 (España)

ISBN: 84-7017-900-4

Depósito Legal: B. 19.270 - 1980

Impreso en España - Printed in Spain
Impreso por Chimenos, S. A., Dr. Severo Ochoa, s/n.,
Coll de la Manya, Granollers (Barcelona)

Inmensos bosques de coníferas
y helechos arborescentes cubrían
los continentes, purificando la atmósfera de anhídrido carbónico.

(Introducción a la Prehistoria.
De mi Enciclopedia infantil.)

INMENSOS bosques de coníferas y helechos arbores-
rescentes cubrían los continentes, purificando la atmósfera de anhídrido carbónico, y el lechero de la caída de la tarde pasaba con su carro de fuego y el jaleo
de la leche sonando fresco dentro de los cántaros, y
yo me quedaba en suspenso, mirando quieto a la nada
de la calle, a la calle de la nada, en un resol tardío,
que era cuando pasaba el moro de Franco, el moro de
la guerra, el moro Muza, con sus grandes bragas hasta las rodillas (los chicos de la banda decían que hacía
sus necesidades dentro de las bragas caqui, y que lo
llevaba todo allí, oloroso a letrina y heroísmo), y con
su turbante de moro Muza, que tenía prendido un escudo de España, un escudo de Alá, una sangrienta
luna y el retrato de carnet de una valenciana que le
había querido mucho.

—¿Españolito decirme mí casas de las niñas?

Y españolito decirle a él las casas de niñas o de
putas, pero eso fue la primera vez, cuando me dejó
una moneda de cobre, una perrona de diez céntimos,
del color de su mano, oscura en la palma más clara,
la perrona, y luego se repitió la escena y la pregunta,
porque el moro no veía que el españolito era el mismo, el que estaba allí, sentado en el poyo de la esquina, a la luz de dos calles, dubitativo como después
toda la vida, entre dos iluminaciones, hasta que por
fin empezó a conocerme y reconocerme y ya se limi-

taba a dejarme una perrona y una sonrisa, sin preguntarme nada, porque había aprendido el camino (clara sonrisa oscura de otra raza, que me estremeció como en el cine).

Por fin, una tarde me tomó de la mano, vestido de monaguillo como yo estaba, y no me dejó en el borde revuelto y maldito del barrio de las putas, sino que me adentró con él en el laberinto, y decía que si yo estaba así vestido porque era alguna fiesta cristiana, yo también soy cristiano, mira, nos bautizó Franco a bordo, y me mostraba un escapulario con el Sagrado Corazón de Jesús, abarquillado, que se sacaba del pecho como si se sacase su propio corazón.

—No, no es fiesta, bueno, sí es un poco de fiesta, o sea en la parroquia, la novena de San Miguel.

—¿Dónde San Miguel?

Y el moro se adentraba en el barrio de las putas, con su turbante prendido de mil cosas, en el que se posaba algún vencejo sucio y enfermo de última hora, con su mirada entre borracha y perspicaz de moro Muza, con sus bragas enormes, crujientes, olorosas y quién sabe si cagadas, o en todo caso orinadas, y conmigo de la mano, vestido yo de monaguillo de lujo, ropones y hopalandas que don Luis, el coadjutor, había sacado para mí de los arcones más antiguos y musicales de la sacristía.

Pero yo llevaba el pelo pelado al cero, por el piojo verde, y me hubiera gustado completar mi hábito de monaguillo cristiano con un turbante sarraceno y la sangrienta luna que ponía púrpura en el blanco vendaje del moro Muza, a más de una huella de sangre seca que llevaba en la sien, herida que, según decían ya las putas, era causa de su baja en el frente, su estancia en la ciudad y su ocio oriental que había provisto de huríes de Salamanca, de Burgos, de Valladolid, de Ávila, de Herrera de Pisuerga, de Mansilla de las Mulas, provincia de León, y de Medina del Campo, que era de donde venían las putas más finas, sentimentales y medievales a la capital, arrojadas de la merindad por Isabel la Católica y doña Pilar Primo de

Rivera, que llegaron una tarde en un camión de la maquila requisado por los falangistas.

Atrás quedaba mi casa, sombría de enfermos y enfermas, atrás quedaba mi barrio, ruidoso a aquella hora de niños y vencejos, con la bandera nacional en Capitanía, atrás quedaba la parroquia, la iglesia, con su torre alta y vieja, delgada y deshecha, en la que sonaban unas campanas claras y espesas, como unos acorazados o esquifes echados a navegar por el mar del cielo, campanas movidas por otros monaguillos más musculados y menos espigados que yo. Un perfume de iglesia y oblea, que era el mío, se mezclaba a los olores guerreros y diuréticos del moro, cuando nos encaminábamos hacia la casa de la Formalita, la mejor casa de putas de la ciudad, la que no tenía verja ni visillos, como otras, sino que, vieja judería, disimulaba con portal y fachada estrechos la riqueza interior, el laberinto arabigoandaluz de patios, fuentes y alcobas donde los castellanos viejos venían empecatándose desde los tiempos de Sancho el Fuerte, según los había visto yo, vestido siempre de monaguillo distinguido, desde los cuadros religiosos o históricos en que aparezco retratado y sin nombre, allá por los siglos catorce y quince.

El primer día creí que el moro, a lo mejor, quería abusar de mí. Me lo había dicho Germán, el hijo del guardia municipal, que por el estrecho trato de su padre con la delincuencia de la vida, sabía de esas cosas:

—Ándate con ojo, monaguillo, que los moros son todos bujarrones.

—¿No vienen a luchar por España y por Franco?

—Bujarrones perdidos, monaguillo.

De modo y manera que en los primeros días anduve con un cierto cuidado, y hasta la mano del moro, enorme y oscura como una liebre que me llevase a mí de la mano, me parecía pecado, asco pecaminoso, suciedad y miedo.

Pero no, ya vi que no, en seguida me tranquilicé, porque, llegados a casa de la Formalita, que no era la Formalita, sino herencia, recuerdo, heredad, repeti-

11

ción y memoria de una legendaria Formalita que diera posada, lecho y placer a mesnaderos de algún Cid y pecheros de algún señor de horca y cuchillo, en seguida, digo, el moro Muza entró en faena, reclamó mujeres, y vinieron viejas en candil, putas rubias, alguna morenaza desnuda, sobrinas de diácono con toalla menstrual y zapatillas de pompón, y desaparecía el moro, mi oscuro amigo, escaleras arriba, rozando su gran sable, si lo llevaba, por las nobles tarimas de la casa, y un golpeteo de sable en cada escalón, unido al rosmar de algo, y, allí quedaba yo, sentado en una silla, las manos bajo el hábito, en el pasillo, sujetándome la picha o estirándomela, según.

—Coño, mira un monaguillo.

Era la Isabel, la de la buena lencería, que me tenía yo las putas conocidas, mi cultura de putas, meretrices (qué palabra, meretriz, qué clave, qué flor de la botánica del diccionario, el día que la aprendí, qué olor morado de mujer desdeñosa en combinación, en enagua morada: meretriz).

—Deja al monago, leche, que es amigo del moro y le está cristianando, a lo mejor.

—¿No te da por el culo?

—No, señora.

—Uy, qué rico.

Gracias al moro Muza, moro amigo, había entrado yo en el laberinto deseado de aquella casa, alcobas y pasillos de la Formalita, mujeres lavándose los pies en una palangana, con la faldumenta por la cintura, recibiendo el vapor del agua entre las piernas, cosas que luego vería pintadas en los Museos.

Agua al siete, que se me ahoga don Damián, y se abría una puerta, una gran puerta como de cancillería, pero pintada de mierda y vino, y pude ver la escena, el entierro del conde de Orgaz o cosa así, un santo y sabio del siglo XIX, un Macías Picavea, don Damián, que le había visto yo, paseando solitario por las calles, con bufanda de borra, gloria nacional, en torno a su propio monumento con meadas de niños y hojas podridas, y agonizaba ahora, en el lecho de la doña Nati, que era su encoñamiento de cincuenta años, rodeado de mujeres en camisa, si esto lo saben los rojos, una lumbrera de la derecha muriendo en casa de lenocinio, como pintado por Esquivel, el viejo, que me lo explicaban a mí en Artes y Oficios, a Esquivel, en camisón de joder y las putas solícitas, al contraluz de la ventana grande — luz irreal, hermosa — que daba a la vaquería, aplicando remedios y emplastos al difunto, cinco días lo tuvieron incorrupto, sin saber qué hacer.

Así pasaron tardes, horas del gris al azul albañil de mi ciudad de noche, y yo al principio enfebrecido, ciego de ver mujeres casi en cueros, la Gilda con su barriga puntiaguda, con su embarazo mezquino, la Formalita con su corpachón rubio, la Camioneta, desmanganillada, con piernas de hombre, y los pechos caídos, pechos como de calceta. Me la meneaba bajo el hábito, si no pasaba nadie, don Luis, don Luis, ay cuando vea don Luis que su ropón más caro y más antiguo, aquél con que me pintaron, siglos ha, para el cuadro tenebrista de la sacristía, lo he llenado de semen, de lechada, o don José Zorrilla, con una llaga sucia bajo la melena, o quizás el mendigo que le imitaba, y sus ripios pincianos, que las putas jugaban a subirle la melena para verle la llaga.

Cierta vez, a una, le hizo besarle la llaga, pasarle la roja lengua por la llaga y sus bordes, y se corría de gusto, deliraba, del dolor y el placer, José Zorrilla, romántico y donjuánico, y la chica escupía a un lado, llena de asco, para volver al trabajo, y luego se enjuagaría la lengua con bicarbonato, mucho rato. El cabrón del poeta, decía, el cabrón del poeta.

—Niña, exprésate bien, que es gloria nacional.

Al fondo del pasillo, una de las alcahuetas, vieja y ya medio ciega, ponía la radio de noche para oír el parte de los nacionales. Zumalacárregui se había caído del caballo y había pedido otro. El carlismo cruzaba el Ebro. El cura Santa Cruz limpiaba su guerrilla de traidores. Franco fusilaba legionarios y rojos. La guerra hacía su camino por España y luego cantaban okal por la radio, okal es el remedio del dolor, y todas las putas lo coreaban, en todos los pisos, desde sus habitaciones y jodiendas.

Doña Laureana vivía allí, en casa de la Formalita, porque doña Laureana era señora de piso de las monjas, pero las clarisas la habían echado del convento por no pagarles en monedas de oro la pensión, que la pagaba en pesetas de papel hechas por Franco, y eso no era dinero para las clarisas.

Luego había vivido doña Laureana con las Esclavas de Cristo, y las Esclavas de Cristo, como eran más pobres que las clarisas, sí tomaban pesetas de Franco, pero empezaron a decir que doña Laureana, vieja, viuda y enlutada, les robaba el vino sagrado de las vinajeras para decirle misas negras a su difunto esposo en la habitación-celda, llena de sacos de monedas y rebujones. También la despidieron.

Estuvo doña Laureana en las brígidas, monjas de mucho huerto y gran clausura, pero un día, sentada como estaba en el huerto, entre acacias y verduras, aplastando con la fina punta del zapato de raso y luto la tripa de un lagarto muerto, que dijo ser satanás por asustar a la monja hortelana, he aquí que cayó una bomba o casquillo de ella, levantando surtidores de tierra en el rincón de las giganteas, que se pusieron negras sobre su amarillo solar y como de pintor. La bomba había sido en la estación y toda la ciudad estaba en guerra.

—Éste no es sitio seguro —dijo doña Laureana a las santas brígidas—. A ustedes las bombardea Franco, santas madres, porque se dice que tienen a Moratín y otros masones escondidos en la bodega desde el siglo dieciocho. O sea que la cuenta.

Y le dieron la cuenta, que pagó mitad en pesetas de papel, y mitad en doblones de oro, repitiendo aquello que siempre repetía:

—Sálveos Dios, doblón de a dos...

Responseando la salutación a cada moneda que dejaba caer en la faltriquera de la brígida contadora o hermana de la alcancía. Y así fue como doña Laureana, caminando gorda e impedida, envelada y de bastón, por las calles estrechas de entreconventos, fue a dar a casa de la Formalita, y allí pidió pensión y se la dieron, al verle el oro, pensando quizá que algún viejo dentista adinerado vendría a hacer con ella guarrerías de viejos, cada semana, o a rezar el rosario con sus jaculatorias. Cuando doña Laureana se enteró de que aquello no era posada, sino casa de niñas, ya decidió quedarse, de bien instalada que estaba, con el sol mañanero bullendo en sus saquitos de oro desbocados:

—Yo rezaré por el pecado mortal de estas mujeres — dijo.

Y al cuarto de doña Laureana era adonde iba yo a parar, en mis primeros tiempos de la Formalita, cuando no sabían qué hacer conmigo en el pasillo o la Camioneta daba el cante de que nos iba a detener a todos el arzobispo por tener un menor en el lupanar. A mí aquello de lupanar, que la Camioneta pronunciaba muy bien, porque había ido a la Academia Hidalgo a aprender mecanografía (como luego veremos), a mí aquello, digo, aquella palabra, me sonaba muy bien, como a panal de putas, panal de lúes, lupanar, y siempre ha habido miel en mi memoria de la mujer desnuda y las exudaciones lentas de su coño.

Doña Laureana, viéndome monaguillo, me mandaba a por obleas y se hacía sus hostias, y se comulgaba sola, que había llenado el cuarto de altarcitos, y sacó del Monte de Piedad una máquina de coser singer, usuraria, para vestir santos y vírgenes, y me iba ascendiendo en la escala eclesiástica, pues estaba casi

16

impedida, ya, para ir a misa, y tenía miedo, sobre todo, de que las putas le robasen el oro en sus ausencias, o le orinasen la estampa de San Alejo debajo de la escalera, con el perro, que era su imagen milagrosa, porque San Alejo se parecía al pastor rubio que ella había querido en su pueblo, un siglo atrás, antes del marido feo, nicotinado e incapaz que le tocó en la sagrada institución del matrimonio. De modo que acabé capellán de la señora.

—Anda, Paquito, dime algo en latín.

Y yo me revestía (porque a veces andaba ya en camiseta de Auxilio Social por la casa), me ponía de rodillas en una silla, delante de San Alejo, y decía los latines que había aprendido, de oído y nunca de concepto, en las misas y novenas de don Luis el coadjutor. Doña Laureana se sentaba detrás de mí, en su reclinatorio claveteado de oro, despeluchado, con emblemas, que la hacían un poco marquesa, como ella hubiera querido (reclinatorio, también, del Monte de Piedad, o sea usurario) y rezaba en su libro negro, con bisbiseo maniático, sobre el fondo de mar latino que eran mis latinajos repetidos, locos, monocordes y sin sentido.

—Hale, ya está, Paquito, hijo, ya hemos santificado un poco a estas pobres mujeres y el pecado que reina en esta casa.

Me daba una moneda de diez céntimos, como las que me daba el moro Muza, perrona de cobre con un león rampante por un lado, o me mandaba a comprarle dulces donde la señora Landelina, que era frutera y dulcera de la Plaza del Rosarillo, y en cuyo tabuco, alto y pequeño, olía a un anís rancio y orinado de gato. Le sisaba yo a la vieja, claro, me llenaba la tripa y los bolsos de pedazos de gigantea, algarrobas de caballo, castañas pilongas, regaliz de estropajo y pastillas de leche de burra, hasta sentirme el cuerpo lleno de asco, y le llevaba a doña Laureana su ración de estrellitas de menta, lamparillas para San Alejo, rosaritos como de niña de primera comunión, hechos en nácar, y otras cosas. El hambre de la guerra se me hacía nauseabunda, bajo la sotanilla roja de monago renacentista, con el estómago lleno de mierda dulce y agua de regaliz.

Doña Laureana salía poco de su cuarto o no salía nada. Se estaba allí, al sol que le entraba de los desmontes de Tablares (un Machu-Pichu en ladrillo, proyecto detenido por la guerra de unas escuelas republicanas), recontando monedas, doblones de a dos, peluconas, y las pesetas nuevas de Franco, que se las metía entre la ropa, encima de la carne, y en seguida las sacaba sobadas y sudadas:

—¿Por qué guarda usted tanto las pesetas, doña Laureana? Aquí nadie se las va a quitar, y con el sudor se le ponen viejas, y a lo mejor luego no valen tanto y Franco ya no las quiere.

—Paquito, hijo, ¿tú no sabes que el papel da calor, mucho calor?

Los pequeños billetes de peseta, marrones, los de cinco pesetas, verdosos y un poco más grandes, los de cinco duros, hermosos ya y como de papel de plata, los de diez duros, con don Marcelino Menéndez y Pelayo en efigie, azulados, los de veinte duros, marrones otra vez, los de mil, en papel duro, con los Reyes Católicos, me parece, todos se los sacaba doña Laureana de entre los refajos, bajo el halda, como sacándose la piel financiera a tiras, lo cual que por los billetes de quinientas, donde salía don Marcelino, conocieron las niñas a un señor correcto y sombrío, de barba puntiaguda y ojos un poco juntos, que venía algunos atardeceres a echar un polvo:

—¡Pero si es el de los billetes!

—Calla, niña, que aquí sólo vienen glorias nacionales.

—No puede ser, ese señor ya está muerto. En los billetes sólo sacan difuntos.

—¿Y a ti qué más te da?

—Que no se lo hago yo a un difunto, doña Formalita, que me parece sacrilegio.

Sería Menéndez Pelayo o un señor que le imitaba, como tantos que andaban por la zona nacional, que

18

no sé yo si don Marcelino había fallecido ya para entonces, pero su esquela no la recuerdo del *ABC*, y el *ABC* lo compraba yo algunos mediodías, con lo que sisaba a las putas de los recados, o a doña Laureana, para saber cómo iban las cosas en la zona roja, en la zona nacional, en la zona carlista, en la zona republicana, en la zona isabelina o isabelona, en todas las zonas de la patria que andaban, como siempre, en guerra y guerrilla.

Y de paso leerme algún artículo de los fascistas de Burgos, Eugenio Montes, Foxá, d'Ors, señores que escribían muy bien, se conocían a los clásicos y me daban, sin quererlo ni saberlo, más escuela que mis maestrillos, hombres de cuello duro y látigo de goma con alfiler en la punta que me hacía grandes desgarraduras, y contra cuyo castigo sólo valía mi latín de monaguillo, el latín antiguo, indescifrable y marmóreo que yo había aprendido a retahilar en la parroquia de San Miguel, tres o cuatro siglos que llevaba yo en la parroquia de San Miguel, durmiendo dentro de un arcón durante cincuenta o cien años, como la bella del cuento, hasta que venía un coadjutor de sombra y lentes a sacarme de allí, Lázaro yo, pequeño Lázaro con el piojo verde en lugar de la lepra de las momias.

—Despierta, chico, que hay novena.

Me quitaban el hábito, lo planchaban las sacristanas y beatas y yo me estaba en el retrete frío, húmedo y claro, por la decencia, en puros calzoncillos, esperando, y en la espera me hacía manolas, gayolas y pajotes, me la meneaba bien y fuerte, con la izquierda o la derecha, enjalbegando la vieja cal del retrete.

Purificado de pajas, salía serafín y querube a la novena, y doña Laureana me recordaba esto, porque me había visto en la parroquia, cuando ella iba, antes de ser señora paralítica de piso, en conventos y casas de lenocinio:

—Qué guapo estabas, Paquito, como un San Boleslao niño y altito.

—Ya ve usted, doña Laureana, ya ve usted.

SUSSONA, la fermosa fembra, había sido hetaira
morojudía en la raya de Toledo, cuando los Reyes Católicos, y los caballeros cristianos que de día comba-
tían en esa raya, de noche se iban en caballo sigiloso
a fornicar con Sussona, la fermosa fembra, la más
hermosa, blanca y morena mujer de pelo negro que
diera el entrecruce prohibido y sacrílego de sangre
mora con sangre judía, de sangre árabe con sangre de
nadie.

Sussona era la primera referencia de la casa de
la Formalita, Sussona, la fermosa fembra, porque en
una retirada de los caballeros cristianos había venido
a dar a mi ciudad, y allí se acogió al recaudo de las
viejas meretrices castellanas, rezadoras y de poco oficio, con lo que se hizo la princesa natural de la casa,
la emperatriz de las meretrices, la zarina judía de la
estepa castellana.

Se decía que, por los siglos de los siglos, Sussona,
la fermosa fembra, que jamás bajaba a la sala común
de tarima y vino, para alternar con mílites y oidores
y relatores de la Real Chancillería, sino que se estaba
siempre en su cuarto, se decía, digo, que Sussona, la
fermosa fembra, se había beneficiado a capitanes de
los Tercios de Flandes, abanderados con el pendón
de Castilla, legionarios de paso, quizá hasta el gran
Millán Astray, eruditos como don Marcelino o sus ré-
plicas locales, poetas como Zorrilla o el mendigo lla-

gado que le imitaba y recitaba, Larra a su paso por Valladolid, niño putañero, al que dejó un mal venéreo del que hubo de curarle su padre médico.

A Sussona, la fermosa fembra, nadie la había visto nunca.

Yo lo comentaba con doña Laureana cuando el olor de orines no era excesivo en el cuarto de la vieja, porque había ventilado un poco, y se podía estar allí de rato:

—No lo creas, hijo, sólo se mantienen incorruptas las santas, no las pecadoras.

—Dicen que un cura vicioso del Santo Oficio le dio el eterno perdón.

—Otro le daría la excomunión.

José Jiménez Lozano, erudito y poeta de Alcazarén, escritor y periodista, amigo hablador y sabio que escribía entre las gallinas de su pueblo, que le picoteaban y cagaban la teología, o charlaba en los cafés de la ciudad, delante de una taza, horas y horas, tenía averiguado en su biblioteca, o quizás en el Archivo de Simancas, que a Sussona se le había hecho proceso inquisitorial, por bruja y puta, por judía y mora, por hermosa y misteriosa, siendo quemada en la Plaza del Ochavo, hacia 1492, y que su alma había ascendido al cielo de Alá desde las guadamacilerías de la ciudad, sólo que la quema le había cogido en día de menstruación y dejó un reguero de sangre por los espacios como un arcoiris nefando.

En casa de la Formalita, la presencia/ausencia de Sussona era muy viva, y ella constituía, de hecho, el misterio del lugar, su fondo último de luricidad y muerte, su enigma de pirámide griega, lo que el lu-

22

panar tenía santuario de alguna virgen inversa y local con facultades de aparecerse. Lo que yo quería era tirármela, claro.

Era mórbido eso de saber que Sussona, conservada decían entre los cincuenta y los sesenta años, jamona y muy sensual, teñidas de rubio sus canas con blanco España, estaba en algún trasfondo de la casa, a la luz velada de traspatios con sol romántico, folgando dulcemente con un caballero mutilado, con don Federico García Sanchiz (siempre de capotón belicoso por la pacífica ciudad) o con el insigne, heroico y valeroso Millán Astray, que repartía sus fotos entre las niñas de la casa como entre los intelectuales de Falange Española, para que no le olvidasen, y hasta las firmaba.

Un día se lo dije al moro:

—¿Ya se ha tirado usted a Sussona, la fermosa fembra?

—¿Sussona dónde?

No sabía de qué iba.

Se lo expliqué. Le expliqué que le estaban estafando si se limitaba a acostarse con pobres paletas rubiascas de Tordesillas, con madrazas descarriadas de Iscar. Los saberes de la Formalita eran muchos, las desvergüenzas de la Camioneta, todas, las exquisiteces de la Isabel, únicas, los orgasmos de la doña Nati, gloriosos, los juegos con Carmen la Galilea, que se tiraba ella a los hombres, hermosamente grecorromanos, pero lo que el moro Muza se merecía era una mujer legendaria, una hetaira de Alá en la tierra, Sussona:

—Pregunte por ella, don Muza.

—¿Serán pesetas grandes, españolito, muchas?

—Seguro.

Y se quedaba pensativo, el grande moro, llevándose una mano al sexo, y luego al bolsón del dinero, y otra vez lo mismo, pensando quizá si valía la pena. Yo ya le había metido la tentación en el cuerpo.

Hasta los comuneros de Castilla, Padilla, Bravo y Maldonado, se decía que habían folgado con ella, y que uno de ellos, antes de ser ajusticiado, pidió como favor de muerte y placer último el acostarse con la moro-judía toledana, pero los miedos del otro mundo le tenían morcillona y pendulona la cosa, de modo que Sussona, por entonces en el fragor de la juventud y las pasiones, le hizo una mamada llena de técnica y sabiduría, llena de amor y asco, a ver si así disfrutaba.

—¿Y disfrutó? —me preguntaba el moro.

—Y yo qué sé, don Muza. A mí nadie me la ha mamado nunca.

¿Fue con Sussona, la fermosa fembra, con quien contrajo el poeta Zorrilla, vate local coronado de oro en América o por ahí, los males, enfermedades, purulencias y llagas que le tenían en el estado lamentable en que solía yo verle por las calles de la ciudad, y sobre todo por aquellos barrios enlaberintados, pozales de la Historia, cancelas del tiempo? Porque había un mendigo loco o fantasma de levitón tieso y melena canosa que de muy niño me habían enseñado como remedo, burla, continuación y locura del poeta verdadero, y llegado yo a leer sus versos, y su Tenorio, que más que follar monjas parece complacerse en alborotar la noche a caballo, me entró la duda culta de si era el uno o el otro, y un día vi al poeta, al mendigo, al loco, al romántico, al tenorio, quien fuese, sentado en una silla de convento que había en un esquinazo del pasillo de la Formalita, y estuve a punto de preguntarle.

Don José Zorrilla iba por allí, se quedaba sentado en la tiesa silla de convento o de iglesia, quizá con el perejil de oro en la cabeza, si lo había desempeñado del Monte de Piedad, que estaba trasparedaño, y, caída la barba puntiaguda sobre el pecho sucio de sopa y retórica, meditaba o agonizaba.

—¿Qué hace ahí?

—Espera recibir los favores de Sussona.

Yo, que de mayor quería ser poeta, no comprendía que aquella gloria de dos siglos, y los venideros, se estuviese así, con las manos moradas de frío y vejez, cerrados los puños sobre la tela férrea del levitón, esperando el favor de una mujer milenaria, no cristiana e hipotética. ¿Para qué sirve, entonces, la literatura?, me preguntaba yo.

Un día, estando él sentado en la silla tiesa, movido sólo por el estertor de su pecho enfermo, que me recordaba a Cristo y a mi abuelo el consumero, que lo trajeron del Fielato casi ahogándose cuando el tren de Rioseco cruzaba por los trigos helados como por Siberia, un día, digo, se acercaron por el pasillo los pies arrastrados de doña Laureana, con el contrapunto del bastón en el suelo, como dos animales (al oído) que caminasen juntos, uno reptando y el otro a saltos secos, como una culebra y un canguro en rara y repugnante amistad.

Me volví contra la ventana, por discreción, puse mi frente ardida en el cristal frío, miré el anochecer sobre tabernas y lecherías, sobre descampados y vaquerías, sobre campos de fútbol que eran en realidad brechas abiertas por las bombas de Franco o de los rojos, y donde unas porterías no sé si de reglamento, hechas de palos y saco, fingían estadio para los cuatro golfos que íbamos a Tablares a darle a la pelota, en rara mezcla de niños que habían hecho novillos y adultos recién excarcelados, unos y otros con el pelo al cero por el piojo verde o las enfermedades y la disciplina de la cárcel.

—Perdone usted, ilustrísima, pero me han dicho que necesita empeñar la diadema esa de la cabeza — decía la voz de rana de la usurera.

—Señora — dijo a mi espalda una voz asfixiada, oscura, cenicienta y noble—, señora: ni yo soy ilustrísima ni esto es una diadema.

—Usted perdone, ilustrísima, pero yo sé que a veces empeña usted y desempeña la joya.

—Váyase a hacer puñetas, señora —se fatigó la voz.

(Sí que es un poeta, me dije.)

DEJÉ el colegio, dejé mi casa, lo iba dejando todo, apenas aparecía por vagas escuelas en las que se arremolinaban las cordilleras de la pobreza, la Oretana, la Carpetana, la Penibética, en torno a la estufa de serrín y carbón de ovoides, dejé la casa, mi casa, cada muerto en su cama, cada enfermo en su caja, escapaba por las mañanas, con cuatro perras que me daba mi madre, como al colegio o la parroquia, pero vivaqueaba un poco por el mercado, brujuleaba robando fruta, hasta que un día me cogió la Cantarina, frutera viuda y fea, de muchos colores y reaños, y me dio unas hostias por tomarle una pera.

Desayunado de hostias o de peras, tiraba piedras al río, o me columpiaba en los columpios del Poniente, hasta que llegaba alguna niña a dejarse columpiar, que la empujaba yo del culito duro, apretado, histérico, nervioso por el vuelo, y le veía, bajo la falda volandera, las piernas blancas y harinosas, como de leche en polvo, y el triángulo decente y rosa de la braga.

Pero en seguida iba a parar al barrio de las niñas a la casa de la Formalita. Allí tenía ya el ropón religioso, que por la iglesia no había vuelto, y como todas las putas olían a colonia La Giralda y luego mi madre me olía por la noche, haciéndome inclinarme sobre su lecho, pues me estaba enfundado de sotana roja, como el cardenal purpurado de Toledo y las Españas, que luego lo sería don Marcelo González, por entonces paseante de conventos y rúas apartadas, con el libro de horas en la mano, ignorante de los vicios y virtudes que hervían tras las persianas verdes, ocre y llovidas de la Formalita.

Aquel ropón que había olido a alcanfor de siglos, a Concilio de Nicea, a pan de los ángeles, a hostias del sacristán/organista/campanero, a óleo de los tenebristas que me pintaron y a Santísimo Sacramento del Altar, por no hablar del oro, el incienso y la mirra de la misa del Gallo de la Pasión o el Día de Reyes, aquel ropón olía ahora a polvos de talco, brillantina de la que usaban las niñas para abrillantarse el caracol del pelo como Estrellita Castro, y a colonias como La Giralda, ya digo, y Embrujo de Sevilla, más el hedor de mis axilas, que los días de invierno y agua helada no me lavaba yo el sobaco ni por orden de mi madre, de mi abuela, de mi padre, ni por orden de la Formalita, y no digo del moro Muza, que el moro vivía feliz en el anillo de Saturno de sus propios olores militares y diuréticos, o doña Laureana, aureolada por la podredumbre de su boca, el aura de sus tocas y la estela de sus orines, como cintas sucias en las que se enredaban sus pies de raso y muerta. Así era.

Una vez falté de casa toda la noche y aquello me pareció sobresaltante, pero me fue fácil decir que había llegado tarde, que habíamos estado ornamentando tanto el altar de San Miguel para la novena del día siguiente, y que todos dormían cuando empujé la puerta siempre abierta de mi casa. A partir de entonces, empecé a quedarme en casa de la Formalita una noche sí y otra no, y luego todas las noches, y no puedo precisar ahora en qué lejanías de niebla (el Pisuerga daba muchas nieblas), en qué lejanías de calle, barrio, vida, noche, se fue distanciando mi vida de los míos, de la vida de los míos.

Me veía ya mozo de mancebía, como los hay y ha

habido siempre en las casas españolas de lenocinio, chico de los recados, como lo fue David, zurupeto y tonto, infeliz y bestia, con el pelo rizado, la boca bestial, la voz mugiente y el resto puede que maricón. David escogía lentejas para las putas (se decía que era un bastardo entre los mil bastardos de las mozas), les llevaba las medias a coger los puntos, las joyas a empeñar a la Caja de Ahorros y Monte de Piedad de Salamanca (donde un día compró doña Laureana un florete que decían de Calixto y un cinturón de castidad que decían de Melibea), los zapatos a poner tapas en los finos tacones gilda que eran moda, tacones de alfiler que hincar en el cuerpo purulento, escaso, tuberculoso, amarillo y seco del señor gobernador general del Banco de España, que quizá fuese un conserje jubilado o un contable con ahorros. Se llamaba Arteta, decía que había sido banquero de Carlos V y sacaba un libro de un tal Carande o Candamo o cosa así, donde venía su nombre.

—Guarda el libro y saca el billetero, cabrón —le decía la Camioneta.

—Estás jodiendo con un grande de España, con un banquero del Imperio, con un...

—Según a lo que le llames joder, tísico de mierda, porque la traes cada día más arrugada.

Le tiraba de la cama con un empujón de su cadera descaderada y le pateaba, desnuda y con zapatos gilda anudados a la pierna, mientras él se reía en la alfombra, la cabeza cerca del orinal amarillo de la señorita, hasta que la risa le hacía toser y se volvía boca abajo en la alfombra y se acercaba el orinal con mano temblorosa para meter en él la cabeza y escupir un poco de baba y sangre, porque tenía los pulmones deshilachados de balas y bacilos. La Camioneta, dando por terminada la sesión, se ponía ante el armario de luna una braga de punto, porque era dada a los enfriamientos de vientre.

Así iban las cosas entre ellos.

Mi abuelo había paseado por las cordilleras de España y por la Fuente del Sol, cuesta de la Maruquesa, con los krausistas, con los de la Institución Libre de Enseñanza, con don Francisco Giner de los Ríos, con don Francisco del Río Sáinz, con Unamuno y Menéndez-Pidal, con Macías Picavea, Costa y Lucas Mallada, y allá arriba, tonificados por el viento de las cumbres, que les daba una noción de patria, habían cogido la flor del edelwais, como el corolario de la verdad filosoficopoética que perseguían.

Mi abuelo volvía de aquellos paseos muy cansado, con los zapatos negros llenos de polvo, con la barba gris florecida de edelwais y con una tristeza rara de pecador tras la juerga librepensadora. Se metía en la cama a leer el Kempis y, como venía peor de los bronquios, tosía mucho para purgar sus culpas, su pecado intelectual, su soberbia de hombre que había subido con otros hombres sabios a las cumbres que rozan el cielo, para robarle su verdad a Dios.

Tomás de Kempis le suavizaba mucho la bronquitis y mi abuelo iba gargajeando mientras se dormía, y yo le oía desde mi cama paredaña. Todos aquellos señores visitaban a veces a mi abuelo en el Fielato, en su modesta oficina de Consumos Municipales, en el límite del campo y la ciudad, y allí, entre recibos, mozos de pincho y calendarios de Julio Romero de Torres, discutían los males de la patria, el regeneracionismo, la filosofía de Krause y la flor nueva de romances viejos que les recitaba don Ramón Menéndez-Pidal. Eran todos muy sabios y querían arreglar España, pero pasaba un mulero con sus mulas y su carga, y mi abuelo, muy recto, tenía que salir con los mozos del pincho a comprobar y cobrar el impuesto municipal, y por un momento estaban todos con él y en torno de las mulas y el mulero, Giner de los Ríos, Pidal, Azorín, Costa, Macías Picavea, Mallada, todos, vestidos de blanco o de negro, impecables, son sombrero y cuellos rígidos, atónitos de tanta realidad.

Porque se sabían la Historia de España, pero un

mulero con sus mulas les desconcertaba, y si a las mulas les daba por mear o cagar, entonces aquellos hombres volvían discretamente a la casilla de los Consumos, retomaban su discusión, y el mulero se iba despacio hacia las sombras de la noche y el monte, cantando vagamente, y el mulero era España y ellos no.

A veces pensaba yo en mi abuelo, sentado en una silla, en el pasillo de la Formalita, o entredormido en el suelo, en la habitación de doña Laureana, y ya no sabía yo cuántos días o años hacía que había muerto mi abuelo ni nadie de la familia, ni si el abuelo estaba vivo o muerto, y quizá vivía por anticipado (no sé cómo perdí la noción del tiempo y el espacio: quizá por algo que me habían dado a beber las putas) la noche en que murió el abuelo, con todos aquellos sabios (que luego he visto en las Historias de España) poniéndole ventosas en el cuerpo desnudo, con los vasos de la cocina, por salvarle del ahogo y el amoratamiento, en una confusión de filósofos y médicos de cabecera de la casa, como si estuvieran salvando a Cristo, o resucitándole, que al abuelo seguía yo viéndole, siempre que quería, en el Cristo yacente de la parroquia, hecho por Juan de Juni o Gregorio Fernández, no me acuerdo:

—Vamos a ver, Paquito, ¿de quién es el santo Cristo yacente: de Juan de Juni o de Gregorio Fernández? —me preguntaba el sacristán/campanero/organista, relimpio, remenudo, rapaz y bujarrón.

—De Berruguete —decía yo por joder, pues sabía que no era de Berruguete, pues para el arte nunca he tenido mal ojo.

—Te has quedado sin el premio, Paquito.

Y el premio era beber un poco del vino sagrado de las vinajeras de la misa, ya bendecido por el cura, que si no, no estaba tan bueno.

Pero ahora bebía cuando me daba la gana del vino ácido y loco de las putas, que se pasaban la botella de alcoba a alcoba, por un ventanuco, mientras el cliente se ponía la gorguera o el uniforme y el correaje de falangista.

CON la expulsión de los moriscos, los árabes, los mozárabes, los almorávides y no sé si los arévacos, pero desde luego los judíos, por decreto de Reyna Ysabel, la casa de la Formalita se había llenado una vez de acogidos, de refugiados, de gentes oscuras y bullentes que andaban por el pasillo con la colgante picha fuera, orinando en los testeros y folgando con todas las pupilas. Era lo que decía la doña Formalita:

—Estos arabigoandaluces me traen revuelto al pupilaje.

Y es que las razas invasoras del Sur les descubrieron a las meretrices una sexualidad más larga y dulce, más sucia y doliente, más bella y excitada que la seca sexualidad del caballero castellano, que era un polvo de prisa y a oscuras, con los hierros de la armadura sonando debajo de la cama. Todo de refilón como para que Dios no se enterase, que Dios está en todas partes, y no digamos Cristo, que lo mismo le veía yo, yacente, en el Museo Nacional de Escultura que en la parroquia que en el cadáver de mi abuelo. Cristo siempre me estaba mirando y así no había forma de masturbarse. Otro gran revuelo que hubo en la casa, años o siglos más tarde, fue la aparición de Estebanillo González, ya famoso por sus andanzas y futuro libro, en 1625, que venía de Segovia e iba a Zamora, pidiendo limosna, con sombrero de copa media, ala alzada, plumas por detrás y cadena por la espalda.

Usaba don Estebanillo González de nariz puede que judía, mirada triste, bigote lacio y rostro poco o nada godo, pero le iba bien con sus gracias y pingaletas, que otros dos peregrinos le reían mucho, el uno francés y el otro genovés, así como él se confesaba gallego romano, cosa sospechosa.

Don Estebanillo habló conmigo en la casa, o con David, pero debió ser conmigo, porque me llamó Francesillo, sabiendo que era Francisco, y, desde entonces, a veces me llamaban Francesillo los clientes o doña Laureana, y hasta me lo siguen llamando algunos hoy en día. ¿Habló el bufón ilustre con David o conmigo, habló con mi yo davídico y tonto o con lo que David tenía de Francesillo sin ropón ni luces? No lo sé, no lo recuerdo, pero dijo esto:

—A mí la guerra de los treinta años (de la cual venía), como si se cae la torre de Valladolid.

Se refería a la Antigua, torre románica, me parece, no sé si con cigüeñas o no, que todavía puedo alcanzar a ver por sobre los tejados, huertos, tapias y fábricas y tenerías del barrio, y que ha durado siglos, pero que allá por el XVII nos preocupaba mucho a los vallisoletanos y a los españoles en general que se pudiese caer. No sé ni si llegó don Estebanillo a echar un polvo, en todo caso lo echaría con la doña Formalita, pero lo que sí me habló fue de Sussona, la fermosa fembra, aclarándome un poco las cosas:

—Sussona, puta y monja, descabezada, tiene la cabeza enterrada en la calle del Ataúd, en Sevilla, de modo que mal puede estar en esta casa. ¿Tú la has visto?

—No.

—Pues eso.

—A lo mejor la tienen sin cabeza, en un armario. Para joder no hace falta la cabeza.

Pero don Estebanillo ya se iba. David o yo, el tonto o el listo, Francesillo, no sé, nos quedamos, me quedé pensando aquella noche, en la cama, en la lubricidad, el gusto, la lujuria y la muerte de un cuerpo femenino de judía, podrido, momificado, embalsamado, descabezado, pero todavía penetrable de una dulce, quieta, profunda y horrible. Mi cuerpo por entonces, claro, hacía a todo. Aunque nunca le tocaba nada.

Peor fue, si vamos a eso, lo de don Álvaro de Luna, al que yo no vi por la casa en vida, que nos remontamos a siglos anteriores, pero a cuya conmemoración, quema o lo que fuese, asistí con todas las meretrices en la Plaza del Ochavo, una noche, con sermón de las Siete Palabras de Cristo en la Cruz por don Marcelo González, hoy cardenal primado de España en Toledo.

Don Álvaro, siempre al servicio de Juan II y en contra de la nobleza y la oligarquía, había escrito algún libro cuyo título luego diré, porque estaba o está en un estante de la Formalita, con el Quijote, el Buscón y los sonetos de Petrarca, si es que Petrarca hacía sonetos, que tampoco lo sé.

Libros que algunos clientes cultos tomaban de aquella estantería del salón de abajo para hojearlos un poco mientras esperaban a que se desocupase la Isabel, la Formalita, la Camioneta, la Gilda, Carmen la Galilea o la que fuese. Libros comidos y orinados, en un castellano hermoso y viejo, que sonaba a latín, impresos como en cuero, como el Año Cristiano, sólo que el Año Cristiano me llenaba de espanto y asco, mientras que aquellos libros que digo eran un Año Cristiano del vivir, del estar en el mundo.

Como para el Corpus o para la revisión médica, las niñas se pusieron de mantilla y medias, de sostén y clavel, se lavaron los bajos en palanganas de agua caliente y se vistieron miriñaques, zapatos gilda, cosas, en un revuelo de enaguas y camisolas que hubo por la casa, y en el que David y yo ayudábamos buscando una braga debajo de un armario o pidiéndole una joya prestada a doña Laureana, para la Formalita. Íbamos todos esa noche, como al rosario de la aurora, a la conmemoración de don Álvaro de Luna, que no sé si fue de día o de noche, pero que yo recuerdo nocturna, con todos los comerciantes de tejidos, mercerías, perfumerías y tiendas de fotografía en la puerta de sus establecimientos. El buen comercio guadamacilero de Valladolid asistiendo a la muerte del Condestable.

«Libro de las virtuosas y claras mujeres» (1446), se titulaba el de don Álvaro, que le había echado yo el ojo por el título, pensando si serían putas más que virtuosas, o virtuosas en el virtuosismo de joder, aquellas mujeres, y claras de cuerpo más que de alma, pero llevéme escarnio y escarmiento, que era más bien moral y aburrido lo que allí se decía.

De todos modos, las virtuosas y claras putas de la ciudad estaban allí conmigo, y yo con ellas, entre los comerciantes de droguería y marroquinería de la Plaza del Ochavo, entre las tiendas de gabardinas y el patíbulo, viendo lo que hubiera que ver, haciendo lo que hubiese que hacer, que fue como cantar una Salve o Credo colectivo, como en Semana Santa, antes o después de las Siete Palabras del Cristo/don Marcelo, y no sé si por alguna calle empinada asomó a la plaza, con temblor de candelas y culpas, la Virgen de las Angustias o alguna otra, en procesión por el culpable don Álvaro de Luna, al que la Virgen del Perdón venía quizás a perdonar, como cuando iba a la cárcel, una vez al año, a sacar un preso robagallinas, generalmente.

Junto al cadalso, patíbulo, hoguera, guillotina, garrote o lo que fuese, había un como romántico, quizás el Duque de Rivas, que visitaba en la ciudad a su amigo Zorrilla y tomaba notas de la muerte del reo. Pero toda la Plaza del Ochavo era un ochavo de silencio, emoción, perdón, contrición, inquisición, y la noche se había quedado allí íntima, sí, como una pequeña plaza, que dijo poco tiempo más tarde otro gran ajusticiado y afedericado español, siempre a manos de los que tienen razón y muerte burocrática y rosarios.

Rumor de salves, fragancia nocturna de droguerías a deshora, la palabra lejana y sobrenatural del predicador, el espectáculo silencioso y complicado de la ejecución, como un teatrillo, y yo entre todas las mujeres, rozado de sus cuerpos, de sus culos, asistiendo devoto al espectáculo.

¿Escribió el Duque de Rivas sobre don Álvaro de Luna o sobre otro don Álvaro? ¿Escribió el Duque de Rivas «Don Álvaro o la fuerza del sino»? ¿Era don Álvaro aquel como romántico que se veía entre los verdugos y sayones, negro y señor? Todo esto lo dudaba yo entonces, monaguillo que era, mal escolar, niño sin letras, pero algo me sonaba de algo, y hubo ese momento suspenso y dulce en que el estertor del muerto suspiró en todos los pechos — sobre todo en los femeninos —, como un orgasmo, casi, o un alivio, y la ciudad se crecía, irradiada desde su plaza justiciera, aliviada por un rebelde menos.

Soportales de multitud, balcones vestidos de bandera española y Sagrado Corazón, luces de hoguera y vela, lampadarios, faroles de la Virgen, un perfume monárquico y droguero por los aires, y la emoción del rezo, la sangre y el sermón.

Volvimos hacia el viejo barrio de San Martín, como en Semana Santa, desflecada la multitud, negra, llena de impedidos y cadáveres sonrientes, pululada de ciegos, y las putas en rebaño, tan gallardas en casa, iban quedas por la calle (nunca las había visto yo en este trance), recogidas en sí, como rezando aún, dentro de sus tocas, mantones y mantillas, pero algo en el andar, en la libertad del cuerpo las delataba a todas, porque la gente miraba, reparaba, y se apartaba de ellas por la acera: eran apestadas.

Yo, de monaguillo, con una vela apagada en la mano, que cogí de no sé dónde, volvía un poco apartado de ellas, avergonzado de su escándalo, y las veía de reojo como cabras lúbricas, brujas tetonas o viudas verriondillas, y me ponían más cachondo, algunas (la Isabel, la Carmen, la doña Nati), que cuando las veía en cueros por la casa.

Así me recuerdo volviendo de las procesiones nocturnas de Semana Santa, cansado y niño, atropellado por la multitud, embotado de espectáculo, confuso de rezos, respirando en la noche castellana el perfume sagrado de la muerte, la sangre de don Álvaro, el cordero de Cristo, lo que fuese.

Mi abuela, en cambio, había paseado mucho en burra con doña Emilia Pardo Bazán, cada una en su bu-
rrita blanca y dulce, aunque más bien recuerdo gris
plata la burra de doña Emilia. Sombrillas blancas, bo-
tines de muchos herretes, paseo a mujeriegas, veranos de Laguna de Duero. Ay.

Doña Emilia, en sus trasiegos de Madrid a Galicia,
y vuelta, en los veranos y los veraneos mayormente,
se detenía unos días o unas horas en casa de mi abuela, o en nuestras posesiones de Laguna de Duero, para
pasear con ella en burro y hablar del feminismo de
la época, que era un feminismo en burra.

Aunque de estas excursiones no digan nada doña
Carmen Bravo-Villasante ni otros biógrafos de la eximia. (La eximia, por supuesto, no era mi abuela.) Tampoco dice nada doña Carmen Bravo, a lo que he podido ver, de cuando doña Emilia se quitaba la dentadura postiza para hacerle mejores oficios a don Benito Pérez-Galdós o a don Vicente Blasco Ibáñez, que
ahí no llega mi erudición de monacillo sobre el naturalismo español.

Y sin embargo parece que es cierto o debiera serlo.

Alguna vez que me llevaron con ellas en burra,
muy niño yo, sujeto por detrás a la cintura de mi
abuela, o sentado adelante, casi en el pescuezo del pollino, oí a ambas damas calandrias hablar de cosas
tan cultas como los caballeros y los comuneros, y los

textos de don Cristóbal de Villalón, humanista y profesor en Valladolid, autor apócrifo de *El Crotalón* (1553), erasmista del Esgueva.

Luego vendría la liquidación de protestantes en Valladolid y Sevilla.

—El erasmismo fue la última oportunidad europea de España — decía doña Emilia, dándose aire con un abanico que tenía paisaje de Goya.

Pero erasmistas, protestantes, arbitristas, afrancesados, ilustrados, pasaron todos por la casa de la Formalita, antes o después, y yo les vi en pernetas, así que tiempo y lugar habrá para hablar de ellos.

Más que nada me aburrían entonces las paseatas de las dos damas por el campo castellano, pues si al principio era excitante la aventura de la burra, luego el traqueteo se hacía doloroso y tedioso, y me parecía que mi abuela y la otra abuela que no lo era, o sea doña Emilia (ni siquiera abuela literaria), debieran dejar ya la morriña, la saudade, el erasmismo y las mamadas a don Benito o don Vicente para echarse una galopada de burra por los sembrados, cosa que me habría divertido y alegrado más.

En sus paseos o en nuestros paseos (yo iba o no iba), mi abuela y doña Emilia se cruzaban con el tren de Rioseco, Medina de Rioseco, trenecito que tenía su estación de arranque allá por el llamado Puente Mayor, y entre cuyos hierros y herrumbres vivían tribus de gitanos con sus mulas y hogueras, campamentos de pobreza y trapos de colores, olorientos a orín, puestos a secar en los travesaños. Luego, el tren iba por su vía estrecha y le llamaban mataburras, porque una vez mató una burra, cosa que yo no he alcanzado nunca, mítica burra no vista, burra tonta y tierna, intemporal, sangrante y tendida, como una parturienta muerta y blanca, en mitad de la vía, alborotada e iluminada su muerte de crepúsculo y de niños que jugaban en el Parque Pequeño.

El mataburras entraba en la ciudad por el Paseo de Zorrilla, y a veces el propio don José Zorrilla le hacía gestos con la chistera en la mano para que atenuase un poco la velocidad, pues el poeta se subía en marcha, romántico y agresivo como era, jugando un poco a la bizarría de Espronceda y Larra, muy capaces de coger un tren en marcha.

Ya con el poeta en el ténder, como Espronceda en el velero bergantín, el trenecito de Rioseco pasaba por delante de la Academia de Caballería y el monumento militar de Benlliure, y por delante del Campo Grande, donde un asombro de ayas, añas, niñas, niños y niñeras asistía a la epopeya y etopeya del romántico y el tren, y el mataburras era ya el tren expreso de Campoamor, el tren/oda de Quintana al ferrocarril y el tren azoriniano que va dejando una lucecita roja en la noche.

No era la noche, que era el anochecer, y el tren bordeaba el río desde lo alto, allá por las Moreras, tan emborronadas entonces de moras, hasta llegar a la estación de los gitanos, de donde seguía ruta por los campos de Castilla, campos de panllevar, y si era otra la hora, o sea la media tarde, y don José Zorrilla iba en el ténder o en el furgón de cola, dando la melena a un viento de endecasílabos, y se cruzaba con doña Emilia en burra y mi abuela, tan distinguida dama, también en burra, el poeta se quitaba la chistera, o la alzaba, si la llevaba en la mano, para saludarlas reverencial, con una cortesanía literaria, romántica y ferroviaria.

El sol moría en las aguas de la Fuente del Sol. Medina de Rioseco era un emporio que yo no conocía y doña Emilia, una tarde, partía en otro tren, por la estación del Norte, en un tren azul de Los Grandes Expresos Europeos, hacia el Pazo de Meirás, adonde estaba Franco — «ese tenientillo», decía ella —, dirigiendo sus Cruzadas y dictando «garrote y prensa» para los rojos que las iban perdiendo.

Mi abuela, en Valladolid, tenía palacio heredado, o cuando menos casona, gran casa grande y un poco desguazada, con miradores a poniente, como un poco marítimos, y con grandes balcones que se abrían en verano para que entrase el aire redondo de la plaza, el jaleo alegre y religioso de las campanas, el chillido de los vencejos y el canto de las niñas que iban para monjas, aunque ya se masturbaban unas a otras, allá abajo, en las sombras rojizas de última hora.

El casón de mi abuela, la casona-palacio, tenía patios sucesivos en gradación de mayor a menor, de riqueza a pobreza, de modo que el primero era de verdes y de fuentes, fresco y limpio, el segundo era como una plazuela interior, alegre, con acacias y soles, y el último, que era ya esquinazo de tierra y de ladrillo, un murmullo de arañas y un rumor de cernedero, en la carbonería paredaña, donde unos hombres con capucha de saco carbonero, como monjes de una siniestra religión, cernían el carbón toda la tarde.

Yo era el niño que iba del piano del salón al patio, aburrido y caprichosito, con mi traje de terciopelo y mi blusa amarilla con botones de cristal, queriendo llevar arañas subidas en la cabeza y bebiendo agua verde de la fuente verde del patio verde, que era un agua venenosa y distinguida que me criaría sapos en la barriga, según me habían advertido mi abuela y doña Emilia Pardo-Bazán, cuando estaban las dos, en el mes de gosto, de cháchara discreta en aquel patio, en sillones de mimbre, que les crujían a cada movimiento como si ellas mismas tuvieran el esqueleto de mimbre.

(Algunos maniquíes de modista lo tenían, y yo estaba seguro de que éste era el caso de mi abuela y doña Emilia.)

Pero yo era también, al mismo tiempo, el niño golfo, callejero y solo que estaba en el portalón, mirándolo todo, esperando a que bajase el otro niño, esperándome bajar, para jugar con él, el niño rico, que traería un gran balón, o una bici.

Paquito, el niño bien que era yo, se asomaba al balcón y se doblaba mucho hacia la plaza:

—Aún no puedo bajar, no he merendado.

Y Francesillo, el niño golfo y puto que era yo, le insultaba al otro:

—Venga, baja ya, litri, que me aburro.

—Tengo que hacer los deberes.

—Déjate de deberes. Eres un niño litri. Baja ya.

—¿Iremos a confesarnos?

—Ya fuimos el lunes pasado. Vamos al río a ver las chicas.

—Mi abuela no me deja. Ni mamá.

—Baja ya, gallinica. Niñoniña.

Así todas las tardes.

Ese diálogo intemporal conmigo mismo, del balcón a la calle, del mirador a la plaza. Hasta que llegaban los de la banda de la calle, con Germán, el hijo del guardia, y todos ésos, y yo me iba con ellos a asustar a las monjas teresianas y mearles el atrio del convento.

O llegaba Inocencia, la criada, o la Ubalda, la otra criada, o aquella jovencita, la primera doncella, que se desayunaba un vaso de agua para que no le siguiese creciendo la tripa (luego resultó que estaba embarada de un sargento), y me metían para adentro, al salón del piano, al cuarto de la abuela, todo lleno de flores mortuorias y libros de doña Emilia, o al cuarto de mamá, con fotos de papá y revistas de antes de la guerra, las artistas de cine y todo eso, que se le parecían mucho a mi madre en la boca de corazón, los ojos exagerados y los vestidos de gran escote en pico, en amplio ángulo abierto hacia los hombros.

—¿Te sabes la lección? —preguntaba mi abuela.

—Ahora la estudio.

—¿Con quién hablabas por el mirador?

—Con un chico.

—Un chico, un chico. Un golfo de la calle.

Pero aquel golfo era yo, estaba ya en el río, bañándome en calzoncillos, tirando piedras negras a la otra orilla, mirando la braga de las niñas, viendo pasar mi vida en la corriente como una procesión fluvial de torres sumergidas, cadáveres flotantes y felices, amigas de mi madre, que me sonreían desnudas, y muertos de la guerra, con un ojo flotante detrás de ellos. Hasta que de tanto pisar el río con pies descalzos, se me ponían anginas, fiebre, tos.

TIEMPOS aquellos en que creía yo que Don Álvaro o la fuerza del sino era el sino de don Álvaro de Luna, y que el Duque de Rivas, el romántico, había estado en la Plaza del Ochavo, tomando nota negra de lo que pasaba.

Más le hubiera valido, en todo caso, escribir de don Álvaro de Luna y no de su botarate personaje. Tiempos de oírle a la vieja alcahueta de la radio, o a la doña Formalita, de cuando estuvo en Valladolid el gran Quevedo, las espuelas que paseó por aquella casa de lenocinio, espuelas no de oro, como las viera un cursi, sino de hierro y arrogancia. O sentado a una mesa, como se había quedado, me decían, con la pata tuerta entre las patas de madera, con dolor de cabeza, o escribiendo un soneto, o un recado a puta vieja o relator vallisoletano, para que allí viniera a verle, que de aquella casa hizo la suya cuando estuvo en la ciudad, y las putas con las que había jodido decían si le vieron o no el pie zurupeto.

Me emocionaba, sin haberle leído aún ni un solo verso, la presencia de aquel hombre en la casa, el más raro y grande y hermoso español español de cualquier tiempo: don Francisco Gómez de Quevedo, viniendo de la teología y la política, yendo hacia Madrid y los sonetos. Muchas veces pregunté a las putas, a la vieja alcahueta de la radio, a David, que nada me decía, por la estancia de Quevedo en la mansión, por sus detalles, días, por las cosas que hacía, por su voz bronca, y una vieja me explicó que se limpiaba las gafas con grandeza.

Se limpiaba las gafas con grandeza. ¿Cómo puede ser eso? ¿Y qué mundo de borratajos verían sus ojos ciegos cuando estaba sin gafas? Seguramente mucho de lo que escribió, turbio de luces, genial, lo había visto, quizás en aquella casa, en otras, cuando miraba el mundo sin sus quevedos.

Porque mirando así, se ve más verdad, la conciencia miope de la vida, la mentira de los límites, el reino indeciso de las sombras, los bultos y los pasos por el aire de los muertos. Eso sólo está en él, el más vivo y emocionante español de por siempre jamás amén.

Igualmente venía don Martín González de Cellorigo, arbitrista, autor del libro «De la política y útil restauración a la política de España». Cellorigo, hombre del XVII, era melancólico en sus consideraciones, deseoso de convertir a Valladolid en Corte, lamentoso del campo castellano:

—El mal procede de menospreciar las leyes naturales que nos enseñan a trabajar, y de poner la riqueza en el oro y la plata.

Así le decía alguna vez a doña Laureana, cuando charlaban en el pasillo, pero la usurera, que vivía y dormía entre estiércol de oro y plata, en su cuarto, en aquel cuarto de nuestros rosarios y mis misas, no le escuchaba apenas, ni entendía.

Cellorigo pasó por aquella casa sin alegría, meditando más que jodiendo. Como él, casi todos los arbitristas. De la villa vallisoletana de Mayorga de Campos, que en 1787 tenía quinientos vecinos, siete parroquias, veinticuatro sacerdotes y tres conventos, nos venía mucha parroquia a la Formalita. Castellanos sin tierra que Cellorigo había visto casi dos siglos antes, represados por tanta religión, que necesitaban como nada de soltar el cuerpo y vivir la carne.

Famosos eran entre mis putas los polvos de los de Mayorga, que los echaban a la salud de tanto clero como en la villa les tenía presos con el infierno. Valladolid era su cielo con huríes atrabancadas como la Camioneta. Algunos mozos y hombres curtidos de Mayorga se venían con el achaque de comprar el periódico, el Diario Pinciano, aparecido por entonces, comarcal e ilustrado, que dirigía don José Mariano Beristáin, y en el que yo soñaba publicar mis primeros artículos.

Las luces del siglo de las luces, claras en aquel periódico, y la jodienda feliz con Carmen la Galilea, refrescaban la castellanía de aquellos hombres, que volverían luego, en mula o a caballo, a su Mayorga de infiernos y rosarios, con el capricho siempre de que la puta que se habían tirado les dijese adiós por la ventana. Y como eran juntos en partir, había algunas noches un cascabeleo de mulas, un rebujón de niñas en el mirador y unos picachos de voces broncas, los mayorguinos, diciendo sus burradas a las chicas:

—¡Al mes que viene te la meto más dentro, Carmencita!

Hasta que la Formalita o alguna otra mujer con autoridad en la casa, mandaba recogerse a las muchachas, partir a los paletos, y entornaba la noche del siglo XVIII, delante de Tablares, que la voz escandalizaba a los vecinos y la luz podía atraer los aviones de Franco o de Negrín.

Zorrilla, Núñez de Arce, los románticos, se reunían medio siglo más tarde en la mesa camilla del salón, con el Diario Pinciano y otras hojas. O leían y comentaban «El problema nacional», de Macías Picavea, que aún no se había publicado, pero que el propio señor Macías, o el sempiterno loco que le fingía por la ciudad, venía a leerles en persona mientras las putas bostezaban y se cambiaban las horquillas de sitio. Un día leí en Azorín que el Lazarillo de Tormes había vivido, hacia el final de sus años, tranquilo y honrado en Valladolid, y no supe muy bien si era yo aquel Lazarillo y si Azorín contaba mi verdadera vida entre la casa de putas y la parroquia, que el viejo era muy mirado y no daba detalles para nada.

Cuántas veces la misma estampa en aquella casa de las fornicaciones. Los comuneros en un aura morada, venidos de Villalar. Los ilustrados, los enciclopedistas, los erasmistas, haciendo tertulia y minué de su visita a las putas, dejando una estela de rapé y francés. Los arbitristas, los regeneracionistas, los institucionistas, como curas de paisano.

Los caballeritos de Azcoitia, con coleta. Los doceañistas, los románticos esproncedianos, los militares liberales que iban a la guerra carlista, con fragor de espadas arrastradas por toda la casa, o los carlistas mismos, que bajaban por Burgos, que montaban enormes rosarios en el salón de abajo, que ponían a las chicas a rezar, que acababan borrachos en las camas, sin tirarse a ninguna, en una nube roja de vinazo y boinas.

Cuántas veces la misma estampa. Unos aldabonazos en la noche, unas palmadas, un siseo, algo. Yo me tiraba de la cama e iba a la tronera. Un caballo allá abajo, atado al farol. Y en seguida la doña Formalita en mi puerta:

—¡Anda, Francesillo, baja a abrir a ese hijo de puta!

El hijo de puta era comunero de Castilla, o republicano de la Primera o la Segunda República, doceañista o requeté. Yo bajaba con velón o farol, con lo que hubiese a mano, puesta mi sotana escarlata de monago sobre el desnudo escueto de mi niñez. Luego, en la cocina, el recién llegado, el huido, el simple refugiado que quería dormir con moza cálida, se estaba en la cocina, cenando a dentelladas lo que hubiera, y la Formalita o la doña Nati, desnudas bajo el camisón Imperio, en pie, arrebujadas de cualquier manera, con una grandeza y una displicencia de emperatrices a las que ha despertado la Revolución, escuchaban al hombre sus razones:

—En Villalar les pasan a cuchillo.

La alcahueta de la radio servía cena vieja al hombre. Yo aprontaba el agua, el vino, lo que fuese, o me estaba sentado en un rincón, mirando al español en guerra.

Aquel hombre hablaba y hablaba entre la tajada fría y el vino negro de Toro, Zamora. La luz sobre la mesa, velón, candil, lámpara, lamparilla, linterna de fogonero o lo que fuese, iluminaba a un carlista de nariz roja, a un miliciano de Azaña, a un regular de Franco, con los ojos y los dientes ferozmente blancos, a un comunero con cara de carbonero, a un señorito ilustrado, a un enciclopedista, exiliado, afrancesado, erasmista o de Jovellanos, tipo de peluca y coleta o de greña jacobina, y la guerra, la larga, lenta guerra de España, tres años que eran trescientos, iba pasando por su conversación oscura, entre el bostezo de la jefa, los renqueos de la alcahueta y el silencio profundo de la casa, que parecía nacer todo él de mí, mientras paseaban la cocina soberbias cucarachas como dijes de azabache andantes.

—En Villalar les pasan a cuchillo. Godoy muere en la Francia. En Granada no queda ni un judío. Bilbao lo ha tomado Franco. Santa Cruz se rinde. En Estella no hay tantos entusiasmos. En París conspiran españoles. En Londres, Moratín y Blanco White preparan algo. A Onésimo le han ametrallado en Quintanilla. A Lorca dice que le han matado en Víznar...

La alcahueta, quizá, contrastaba las informaciones del recién llegado con los partes de la radio. La jefa quería irse a la cama:

—¿Te despierto una moza?

El cenador alzaba la cabeza hasta los pechos de la Formalita, pechos agudos:

—¿No puede ser la jefa?

—Un general liberal tengo en la cama.

—¿Puedo ir a pegarle un tiro?

—¿Para eso alborotas a estas horas una casa decente, hijo de puta?

Y el héroe de todas las guerras españolas hundía su sumisión en vino.

Con la cena y el vino le venía el sueño. Le hacíamos una cama en el pasillo. Se quedaba roncando como un cerdo. «Mañana echaré el polvo.» La Formalita le miraba por última vez con desprecio. La vieja apagaba luces. Yo me iba a mi buharda, miraba otra vez el caballo por la tronera, que era blanco, insomne bajo el farol irreal, y le oía toda la noche, en sueños, ahondando el silencio con el golpe hermoso de sus cascos.

Los gatos persas de ojos redondos y pelo de zarina, los siameses de ojos inteligentes y piel como de zapato, los persas rojos y chatos, los gatos chinchilla, los siameses sial point de hocico chamuscado, los cartujos, el persa negro ahumado, con un aire a Bismarck, el persa crema (pero sobre todo el persa azul, de mirada inteligente y rabo fastuoso), el siamés blupoint, el persa jaspeado, el birmano, el siamés carey, el lilac, el persa camafeo ahumado rojo, como un personaje de «La Bella y la Bestia», el vagabundo de Montmartre, el burmés chocolate (castrado), el siamés azul, el burmés castaño, los gatos turcos, el etíope liebre, el etíope rojo, el persa blanco de ojos naranja, el persa bicolor, el gato europeo común. Aquella guerra trajo muchas migraciones de gatos.

Venían a Tablares, pasaban por Tablares, los gatos del mundo, todos los gatos de España, durante la guerra 1936/39. Gatos de palacete, huidos del cojín ducal al primer disparo, gatos de portera, subidos al tejado de la casa para escaparse por el cielo, gatos de solar, cruzados, mezclados, hambrientos. En lo que más veía yo aquella guerra, sin verla, era en la diáspora y confraternización de los gatos, porque el español siempre ha amado a su gato, o se lo ha ahorcado al vecino, sabiendo lo que hacía, sabiendo que el gato es el fetiche de la pobreza, la joya del portero, el jarrón vivo de la casa sin jarrones.

¿Qué había pasado en España, que los españoles ya no amaban a sus gatos?

Una noche fue el gran concierto desconcertado de los gatos, sus aullidos y maullidos, que no me dejaron dormir, y que les tenían como en un inmenso celo, con los ojos de fuego y los colmillos de odio alzados al firmamento en guerra de las auroras boreales. Por la mañana madrugué y fui a mirar.

Tablares era un laberinto de ladrillo y mierda, ruina de unas escuelas republicanas que nunca hicieron, pero Tablares siempre había estado allí, Machu-Pichu de los gitanos que en tribus densas y numerosas llenaban mi ciudad. Con la guerra, Tablares se había quedado sin niños futbolistas y sin viejos masturbadores, porque se decía de rojos, republicanos, carlistas, milicianos, pecheros, bandidos generosos, anarquistas y presidiarios escondidos allí, con arma blanca o de fuego, esperando matar al guardia civil que fuese a buscarles, o prestos a darse muerte ante los Migueletes que quisieran uncirles a la cola del caballo.

Yo no tenía más que cruzar la calle, desde la casa de la Formalita, para entrar en Tablares, y así fue como lo hice ya muchas mañanas, muchas noches, espiando las migraciones de gatos, su huida en rebaños organizados, un poco como en un Arca de Noé de los gatos, maullando o en silencio, sigilosos y eléctricos, encaramándose a los más altos alféizares de ladrillo y cielo, donde quedaban como cuervos chatos, o arrastrándose casi por el suelo como topos. Pasaban, ya digo, los hermosos persas como de zapatería, los siameses, los cartujos, los jaspeados, los camafeos, unos azules y otros rojos, unos listados y otros chamuscados, razas de ojos chinos, razas de ojo redondo y ágata, y aprendí a conocerlos, y los estudié en libros físicos que había en la casa, y los amé muchísimo, y les llevé comida, perolas de pescado, carne que había sobrado, leche en tazas derruidas, y ellos buscaban, entre el ladrillo y el pedregullo de Tablares, hierbas para purgarse.

Alguno traía sangre y le curé. Le llevé hasta la

fuente que salía, inexplicable, de una pared, de una casa vacía que limitaba Tablares por un lado, y que en realidad era un grifo abierto, olvidado también por la guerra, manando siempre un agua innecesaria y sana. Pasé tardes enteras, bajo el cielo despoblado de Tablares, en la asamblea ronroneante de los gatos.

Gatos huidos de la guerra, echados de las casas, espantados por el escobón revolucionario, gatos que traían aún en los ojos la imagen del dueño muerto, los ojos del hombre fusilado, del hombre que vieron fusilar.

Hasta que decidían irse, no sé cómo, agrupados por razas, por familias. Algo les avisaba de que el mastín inmenso de la guerra, el infinito perro de los verdugos y los poetas, respiraba cerca o lejos. Y la doña Nati lo decía:

—Debe aproximarse un regimiento. Se oye mucho a los gatos.

O bien:

—Anoche fusilaron a alguien en Tablares, los falangistas. Han maullado los gatos.

Procuraba que se hicieran mis amigos, pero no eran los gatos sedentarios que es el gato. Señor de lo cotidiano, el gato odia e ignora estas catástrofes del hombre y sus empeños. Y tiene la elegancia de irse.

Vi más gatos que nunca, los vi todos, repasé en vivo ese libro de animales que tienen todos los niños y que yo había tenido alguna vez — ¿cuándo? — en la casa-palacio de mi abuela. En buen tiempo, me quedaba con ellos a dormir, abrigado de gatos, y a la mañana había uno, un persa blanco de ojos naranja, que me miraba muy de cerca y salió huyendo, despoblando mi sueño y mi vigilia al mismo tiempo.

Cada gato, una casa. Cada gato, una bomba vertical caída sobre la verticalidad del reloj de pared, un hogar vuelto del revés, abierto en mil ventanas imprevistas, ventanas de sangre, vidrio y cal.

Cada gato huía de un Guernica como el pintado por Picasso. A Picasso, en el Guernica, le faltó pintar la espantada del gato. Pintó la espantada del toro y del caballo, desde su mitología ibérica, pero yo, niño eterno de España, niñodiós juanramoniano, vestido ya de pontifical en los cuadros tenebristas del pasado, de los cuales me apeaba para jugar con los gatos de la sacristía, con los fríos y ateos gatos de catedral, sabía y sé que el gato es más totémico que el toro, más toro que el toro, aquí en España, en la España cotidiana que yo entiendo, veo y estoy contando a mi manera al paso que hago la historia de mi vida.

Cada gato, una flecha huida del error y el horror de la guerra eterna de España. Ballestería de gatos en todas direcciones, y las tribus más sedentarias, que se quedaron en Tablares, recuperado su instinto de lo cotidiano, mientras los españoles se mataban España arriba y España abajo.

Cada gato, un niño.

Así fue como una gata rusa, traída por algún combatiente de las Brigadas Internacionales, y que tenía algo de zarina verde, engendró de un gato de cura, ancho y guapo, y tuvieron una camada, y luego otra, y a la segunda parida asistí en una tarde de agosto sin guerra, cuando los arcángeles de mi parroquia sobrevolaban el cielo de Tablares, en un mar de campanas, como trimotores de Franco o stukas de Hitler.

La gata iba y venía. Se ponía contra mí. El gato asistía a todo, allá arriba, en el más alto reborde de Tablares, viña de bruma, cimitarra ciega, echado, con la cabeza casi dentro del cuerpo, pero con sus ojos inteligentes y armoniosos fijos en nosotros. Al fin la gata encontró un rincón cerca del misterioso grifo que manaba, y allí fue echando por su pequeña matriz aquellos bultos oscuros y enmelados, y lamía cada uno de ellos amorosamente — qué fervor de la especie por la especie —, hasta tenerlo seco y aplicado a una mama, y así echaba otro gato, otro bulto, y la placenta se la comió casi de un mordisco, que así lo hacen los gatos, y tuvo cinco o seis en varias horas.

Yo lo miraba todo sentado en una piedra, con mi ropón de iglesia manchado de la sangre fresca de la gata, como de la sangre seca de las putas, y apenas usó el cercano chorro de agua, la gata, para su higiene, que todo lo hizo su lengua, y finalmente la dejé enroscada con las crías sujetas a sus pezones, circundadas por el rabo largo de la gata, y la parturienta me miraba, con sus hermosos ojos de gratitud y oblicuidad, y allí comprendí la maternidad, la paternidad, la infancia, la vida: me comprendí a mí mismo como niño y como gato, como el gato callejero que era, gato de putas y alcahuetas, escapado por la gatera de la picha al otro que era yo, al Paquito de la casa-palacio de la abuela.

Días más tarde, cuando ya los gatitos ciegos arrugaban sus ojos sin luz a la luz quieta y rota de Tablares, al sol de las mañanas, elegí uno entre todos — colorados, negros, entreverados, y uno que era ya cadáver —, y me llevé conmigo al gato más grande, al cachorro más puro, todo crema y espiga, oro rojo y ojos de oro, envuelto en la hopalanda de mi manga, encerrado, para soltarlo en casa de las niñas que lo acogieron con susto y alegría:

—¡Francesillo, que ha cazado un gato!

Unas andaban histéricas, por las sillas, creyendo que el gatito —brasa, temblor, infancia— les iba a comer la cosa. Otra le cogían del pescuezo, se lo ponían entre las tetas, le acariciaban. La doña Nati sentenció:

—No viene mal el gato. Debajo de mi cama hay ratones por las noches.

Y Carmen la Galilea, rubia y morena, ancha y esbelta, chata y fina de alma, inmensa de regazo, madre virgen, lo cogió y se lo puso entre los muslos con un cuido y caricia que ya me hizo quererla, verla como otra madre, desearla.

Mi madre había jugado a la patacoja por los campos góticos y había sido niña de lazo morado y largo en el pelo, lazo siempre un poco destrenzado y colgante, como la que luego va a tomarse otras libertades y descuidos en la vida.

Mi madre, ya en Valladolid, salió un día a la calle vestida de mujer nueva, y entonces Penagos le hizo dibujos para todas las portadas de la época, Julio Romero de Torres le hizo calendarios para todos los calendarios de la época, Greta Garbo decidió parecerse a ella, porque la había visto retratada en una revista española, seguramente *Crónica* o *Estampa*, en sepia, y de ahí nació Greta Garbo, una cursi que se pasaría la vida malimitando a mi madre en las películas.

Greta Garbo le copió a mi madre la gracia fija y fácil de la onda breve en el pelo, la frente limpia de mujer que se atreve a pensarlo todo, los ojos claros y alegres y tristes, tan grandes en la cara, la nariz recta y la boca convencional, que era lo más de la época.

Qué habría sido de Greta Garbo sin mi madre. Greta Garbo habría sido una atleta sueca que habría ido mejorando sus marcas de olimpiada en olimpiada, pero que nunca se habría dedicado al cine. La tuberculosis fílmica de La Dama de las Camelias, la tuvo mi madre de verdad, cosa que Greta nunca pudo imitarle, y mi madre jamás cayó en aquella fealdad siniestra de las gafas negras, porque tuvo el buen gusto de morirse antes.

Pero las pamelas le quedaban a mi madre tejidas de una luz colombófila de San Sebastián que Greta Garbo no consiguió nunca con sus achicharrantes luces de foco de estudio. Los escotes le quedaban a mi madre lunados y redondos, siempre aireados, sin el ultraje del maquillaje, que era una cosa cacofónica y cosmética que afeaba los escotes de G/G vista al natural.

Total, que se odiaban.

Bueno, ni siquiera se odiaban. Mi madre vivía su vida feliz de soltera, casada y viuda, en provincias, y Greta Garbo vivía la amargura de aquella señorita española que había visto en un revista y que tenía clavada con alfileres de plata en su camerino, pero a la que nunca terminaba de parecerse:

—Ella es más natural, más suelta, más ligera. Oh.

Terminaba, la gran diva, ovillándose en su oh, poniéndole a la o el biombo de la hache, para que nadie la molestase. Se curaba las jaquecas con biombo.

Como sabe el mundo entero, mi madre salió triunfante y todavía era una mujer muy bella en plena Cruzada de Franco, mientras que G/G se había retirado ya o iba a retirarse en seguida, derrotada por aquella desconocida española, cuyos abanicos, guantes, pamelas, escotes y escorzos jamás había conseguido Hollywood imitar a la perfección.

Entonces fue cuando nací yo.

Greta Garbo, además, nunca había tenido ni iba a tener un niño como yo, un hijo monaguillo, un Paquito esbelto y caprichoso, un Francesillo intemporal, pícaro y monago. Las grandes actrices fornican con el cine, pero el cine no les da nada. El celuloide es una precaria corporeización de la sombra. A veces, ya crecido yo, iría con mi madre a ver algún viejo film de Greta Garbo.

—Pudiste con ella, mamá.

—No creas, en esta película está guapa.

Yo no la encontraba guapa, a Greta Garbo. Yo encontraba cursi a Greta Garbo. Estaba deseando que terminase la película y salir a la luz del día para mirar a mi madre y comprobar que era mucho más guapa y más joven que aquella intrusa que la plagiaba.

Y la gente se lo decía por la calle:

—Ya quisiera la Greta esa.

Mi madre, a través de la otra, de la famosa, había impuesto un tipo de mujer al mundo, una nueva personalidad femenina, una nueva feminidad, de modo que yo ya podía ir por la calle feliz, viendo a mi madre repetida en todas las mujeres, en todos los anuncios, en todas las películas, en todos los maniquíes de escaparate. Tuve por madre a toda una generación.

Pero, cosa curiosa, nunca me sentí para nada hijo putativo de Greta Garbo, que ni siquiera me gustaba como actriz, que para mí fue siempre la otra, la usurpadora, puesto que yo estaba en el secreto y había leído en alguna crónica de Hollywood eso: que la diva tenía siempre delante, cuando se arreglaba para actuar, la foto de aquella desconocida de sombrilla y pamela en una playa española. Menuda cursi.

Así se comprende que los judíos de Hollywood, desesperados por la derrota y temprana retirada de la Garbo, que todavía arrastra su fracaso por el mundo, cuando escribo, quisieran encontrar a mi madre y volver contra ella su odio y su saña, hacerle daño, amedrentarla.

De alguna manera lo consiguieron. Entre otras cosas, financiándole a Franco, a través de los chuetas mallorquines, una guerra civil en España.

Mi madre había trabajado en la AEG y en más sitios. Era la mujer nueva que hubiera querido ser Greta Garbo, y que Greta Garbo habría sido si el cine no la hubiese estropeado. Mientras Greta se debatía por realizar el modelo femenino de mi madre, hasta fracasar y optar por retirarse, mi madre aprobó un examen de mecanografía/taquigrafía en el Ayuntamiento de Valladolid y entró como secretaria del alcalde socialista, señor Quintana. Este alcalde, cuando yo iba a buscar a mi madre, me sentaba en el sillón consistorial y me daba bombones, vestido yo aún de infantito de terciopelo negro y blusa amarilla con botones de cristal. Los falangistas le fusilaron en los primeros días de la guerra.

Fueron a buscarle a su casa, una noche, y se escondió en el balcón, que sus familiares cerraron. Él estaba por fuera. No sé si le cazaron allí o a los pocos días. Le fusilaron en seguida. Había habido denuncias. A mí me hizo alcalde a los cinco años y me dio bombones y desde entonces soy rojo.

Los falangistas, una noche, pasaron por Tablares y desorejaron a cincuenta gatos, que encontré en la mañana, supurantes y escondidos, feos sin sus orejas de pico, casi como niños peludos y sangrantes. Les amé desesperadamente y traté de curar a alguno.

Las gatas lamían la herida de la oreja cortada a sus crías. A tiempo me había llevado yo mi gato de oro, seguro ahora en el regazo ancho y templado de la Galilea. Por la noche, mientras cenábamos, la radio de la alcahueta dio el parte de la guerra carlista: en la guerra carlista habían desorejado a cincuenta niños. Empecé a llorar sobre la sopa, no sé si por los niños o por los gatos, y las putas me miraban y se miraban, supongo, y no sabían qué hacer.

Carmen la Galilea se levantó, vino a mi sitio, me dio consuelo como una madre áspera y puta, y me encontré bien entre sus pechos chatos y grandes, bajo su rostro plano y bello, y luego me llevó a la cama, en mi alta buharda, me quitó el ropón monacillo y me acostó en calzoncillos y camiseta.

Me dio un beso en la frente, me dejó el gato rubio a los pies de la cama y me dormí pensando que estaba enamorado de ella, y odié dulcemente a los soldados y los mozos de Mayorga que se la beneficiaban los domingos por la tarde, y a los señoritos católicos que se la beneficiaban los sábados por la noche.

Mamá, tras la muerte del alcalde señor Quintana, tras la retirada de Greta Garbo, tras la desaparición de papá, que estaba en la defensa de Madrid, se retiró a sus habitaciones más interiores y sólo de vez en cuando me llamaba para tomarme la lección de Historia (que yo estudiaba como mera literatura, feliz), para hacerme las uñas, ella en la cama y yo sentado al borde, o a la inversa, y para leerme poemas de Rubén Darío a Valle-Inclán y de Valle-Inclán a Rubén Darío.

El padre estaba en la ausencia, en el vacío, en el silencio, en la sombra del atardecer entre ella y yo.

Mi abuela daba órdenes a las criadas con una voz en la que había más energía que salud, más tradición que decisión. Mis tías cantaban por los balcones y se hacían novias de los que pasaban, capitanes, moros, sargentos, legionarios o falangistas. Doña María, doña Alfonsa o doña Aeda, cualquiera de las visitas de última hora, tocaba el piano en la saleta, reduciendo a armonía, sensatez y belleza todo el desorden de la casa y la calle.

La música va poniendo orden en las cosas: es lo que tiene. La música es una mujer ordenada que va armonizando el mundo, ya que no explicándolo. Aquella música de la visita era una onda de simetría que entraba en nuestra casa un poco loca, en nuestra familia ya un poco deshecha.

Mamá, en su habitación que olía a dalias y Greta Garbo, tosía las primeras toses de la tuberculosis que la llevaría a la muerte.

EL culo de la Formalita era un culo de pera, un culo en ese, uno de esos culos ofidios y pugnaces que nunca me han gustado en exceso. La Formalita, que, como me parece tengo contado en este libro, era mujer intemporal, heredera de otras Formalitas fornicatrices y guardadora única del misterio de Sussona, la fermosa fembra, la Formalita, digo, acostumbraba peinarse con coca y rulos, metiéndose mucho crepé dentro del pelo, como mis tías, y luego se ponía un traje de Pompadour, con estampas de San Nicolás de Bari, obispo de Mira, cosidas en el raso y la seda, pues San Nicolás de Bari, obispo de Mira, era santo de mucha devoción en mi ciudad, y se le hacían todos los lunes del año unas caminatas o devociones a la iglesia de su nombre, que estaba entre el hospicio y las vaquerías, y toda la liturgia terminaba con un Señor San Nicolás, óyeme.

Yo no sé si el Señor San Nicolás oía o no a las meretrices y beatas de mi ciudad, pero llevaban muchos años yendo a aquella devoción y hasta había exvotos de cera, muy asquerosos, entre las lamparillas, en torno del santo: manos de cera, zapatos de cera, muletas abandonadas después del milagro, ojos de vidrio, relojes de oro falso y petacas de tabaco llenas de tierra de Tierra Santa. De modo que San Nicolás de Bari, obispo de Mira, en su hornacina, entre tanto material, más parecía un chamarilero del cielo con tiendecilla abierta los lunes que santo con mano en los milagros. Las putas, algunos lunes, salían a rezarle.

Iban como íbamos a las procesiones de Semana Santa, como fuimos en otros siglos a los autos de fe, como asistimos aquella noche, entre salves y sangres, a la conmemoración de don Álvaro en la Plaza del Ochavo.

Comprendí un día que las putas, mis putas, se sentían una institución en la ciudad, algo así como una cofradía, como las damas del ropero o el Colegio de Abogados, y querían estar presentes en las solemnidades, los ritos y los ritmos de la tribu. Ellas ejercían un menester necesario, por sus camas y sus vaginas había pasado la Historia de España y pagaban contribución, dirimiendo sus pleitos con casados mediante intervención de los oidores y relatores de la Real Chancillería de Valladolid.

¿Por qué no iba a oírlas San Nicolás de Bari, obispo de Mira, a las putas?

Sin duda, la más persuadida de estos orgullos de clase era la Formalita, y esto lo notaba yo en su culo, cuando se arrodillaba en el reclinatorio, como una señora cristiana, muy por el rostro la mantilla de viuda, porque no se la reconociese o algún marido asiduo la denunciase el mezclar el fornicio con el cielo, cosas que él tenía tan en su orden y separadas.

El culo de la Formalita en el reclinatorio, en la iglesia de San Nicolás, entre el bisbiseo de las beatas, la guerra chisporroteante de las velas, la primavera falsa y catacumbal de las lamparillas, la luz última del cielo, realmente sagrada en la cúpula, y el incienso, que era como el humo de un puro que se estuviese fumando Dios en algún sitio, el culo de la Formalita, digo, era un culo alabeado, que parecía que iba a caer demasiado, pero no caía.

David el bestia y yo le hacíamos de pajes a la doña

Formalita, le dábamos agua de la pila a la entrada y salida, pero durante la devoción, aburrido yo como estaba, me daba en mirar el culo de la mi dueña, enlutado culo bruñido y drapeado, curva resbaladiza y dura, culo con latido, con espasmo, con oleaje, que quién sabe si la puta, en aquella actitud, de rodillas, con el dolor y el placer de la madera y el terciopelo del reclinatorio con tachuelas de oro, no aprovechaba el trance en un orgasmo mental, estirando y encogiendo la cintura levemente, como dama que sufre, suspira, ora y ve el cielo.

Había otras mujeres en la iglesia, claro, pero debo decir aquí, por gratitud a mi dueña y fidelidad a la memoria, que ningún culo como el de la Formalita, a veces delante de mí, de caderas un poco bajas, pero serpentinas, como algo girante que a veces lograba la esfericidad, de tanto mirarlo yo, deslumbrado por el negro del vestido, y luego otra vez culo de pera, muy abajo de la espalda, nalgas como el cuello de la pera, redondeadas abajo, abolsadas y, bajo telas y fajas, pecaminosamente firmes. Prefería yo — no hace falta decirlo — el escorzo, el medio perfil, cuando me arrodillaba a un costado de la puta, un poco retrasado por respeto, como el rey consorte o el principito retrasado de la reina madre.

Así es como mejor le veía el vientre alargado de culebrón rubio, el valle de las ingles, la poderosa ancadura, el muslo adivinado y ya perdido en los pliegues, el culo, el culo, el santísimo culo que tanto había tomado por el culo. Culo que tenía obnubilado al moro Muza, tonto, olvidado, perdido de sí, ex combatiente, porque había encontrado, para su miembro de camello, un recto elástico, ancho, fácil, juguetón y limpio, y aquellas nalgas malvadas y rubias que devoraban entera la morenez del Muza.

Terminada la devoción, volvíamos a casa.

El tras de la doña Nati era otra cosa. La doña Nati era como un culebrón moreno y gordo, y tenía un culo alto, como apuntalado más arriba de lo normal por sus muslos gruesos, esbeltos y enlutados.

La doña Nati era y había sido una hembra de mucha consideración. La abundancia iba sustituyendo en ella a la prestancia, la cantidad iba sustituyendo a la calidad, en su tras y en toda su persona, pero esta transformación metafísica se hacía de forma tan pausada, armónica y saludable que yo creo que la doña Nati llevaba siglos en la transmutación.

Se le morían los perros, sus hermosos perros lobos, que vivían con ella en su cámara roja y aparte de la casa, y en seguida un abogado del Estado, un oidor de la Real Chancillería o un héroe de la guerra de África le traía otro perro lobo de mejor raza, un cachorro con los dientes siempre fuera y las orejas elegantes como guantes de gamuza marrón.

Iba renovando perros, pero ella siempre estaba igual, era la misma, y su par de perros lobos le había permitido pasearse por la ciudad a oscuras, entre la niebla del Pisuerga, todas las noches de su vida, sin que un borracho intentase violarla ni un señorito se le acercase con los billetes en la mano, como flores.

La doña Nati, morena remorenaza, mujer de moño prieto y rico, muy pintada de rojo y azul la cara oscura, la doña Nati, digo, siempre puesta de luto, no se sabía por quién, disfrutaba un tras ancho, fuerte, altísimo, seguro, lento, firme, y lo paseaba todas las noches, como he anotado, con soledad y constancia. Ella decía que salía a pasear a los perros, pero yo creo que salía a pasear el tras.

Un tras de matrona neoclásica defendido por unos perros de lámina inglesa.

—Paquito, hijo, me voy a dar de mear a los perros.

Y se iba a su paseo solitario de tres cuartos de hora.

La doña Nati tenía clientes fijos, notarios ilustres, delfines viciosos de grandes familias, apellidos sonoros del romanticismo local, y nunca estaba disponible para cualquiera, para el primero que llegase.

La obsesión del moro Muza fue, claro, darle por retambufa a la doña Nati. Le tenía hecho un Otelo aquel culo único e imposible. Ella se le negaba:

—Pruebe usted por delante, don Muza — le decía yo en el pasillo, o sentados los dos en un recodo de la escalera, bebiendo de la bota de vino que nos habían pasado los mozos de Mayorga.

—De delante mujer putrida al moro.

Quería decir que la mujer, por delante, era pútrida para un moro, para los moros, para aquel moro que era él. Ponía mal el acento o quizá quería decir podrida en lugar de pútrida. Putrida era una palabra nueva que a mí me lo decía todo y nunca traté de corregirle.

El moro Muza, según me contó, se había pasado la vida, en su África teológica, dando por retambufa a moritos con tracoma, quizá desde los tiempos de San Agustín. Quién sabe si San Agustín había sacado de aquel comercio carnal del moro con los niños alguna de sus elocuentes y cargantes condenaciones del placer. Gracias a la guerra de España, el Moro había descubierto que lo que le gustaba eran las mujeres, él que siempre se había creído pederasta, aunque no creo que conociese esta palabra ni hiciera grandes diferencias en la materia.

Por lo visto, a las moras no les iba aquello, aunque una vez que le vi el oscuro miembro al moro, porque andaba ya por la casa en chancletas y con su miembro de elefante colgando, comprendí que, más que prejuicios religiosos o de tribu, las moras, las negras, las salvajes y las aristócratas de por allá abajo, lo que tenían era terror a los destrozos de don Muza. A don Muza le repugnaba el coño como cosa sanguinolenta, siempre con olor y pelo, y venía a decirme que por ahí se estaba pudriendo siempre la mujer. El ano le parecía un lugar mucho más saludable, natural y limpio. Con la guerra había descubierto que las viejas meretrices de la zona nacional, sabias de siglos, vivaces de culo como lo es la española, podían

65

hacer delicias, milagros, locuras, pecados y juegos con el culo. Pero se le resistía el mejor culo de la casa, el de la doña Nati, a él que había matado a varios niños de hemorragia rectal.

—Pruebe usted por delante, don Muza.

—De delante mujer putrida al moro.

Así pasábamos algunas tardes, sentados en la escalera y tentando la bota de vino de los mozos de Mayorga de Campos, que tenían un joder alborotador y de gallinero allá por las altas buhardas de las putas más baratas.

Mi padre había compartido el rapé del exilio, en Londres, con Blanco White y Moratín, había tomado el sol fronterizo del exilio, en Francia, con Godoy y con Goya, había puesto alguna coma en la Constitución de Cádiz, bajo el zapateado de los andaluces, que le daba ritmo a aquella prosa política, y había tomado agua de azahar en el Café del Príncipe, con Espronceda y Larra, aconsejándole a Espronceda que le quitase la amante a Larra, que se acostase con Dolores Armijo y le librase así de aquella mujer que le iba a llevar al espejo o a la muerte (viene a ser lo mismo).

Mi padre había conspirado con Prim y O'Donnell, y con Serrano, contra la Monja de las Llagas, el Padre Claret y Narváez, y había estado en las barricadas de Cuchilleros probando una escopeta francesa que trajo de sus destierros. Mi padre había llevado coleta como los caballeritos de Azcoitia, y contaba que su abuelo había cogido caracoles con Voltaire, cuando Voltaire los cortaba en pedazos para ver si eran vivíparos y les renacían los cuernos amputados o la cabeza entera.

Mi padre había fumado opio con Thomas de Quincey y se había terminado el último ajenjo, verde ya de enfermedad, que Verlaine dejara sobre la mesa del café para ir a morirse al hospital. Mi padre había montado caballo liberal contra Zumalacárregui y un día, con un brazo en cabestrillo, de vuelta de la guerra carlista, se había enamorado de mi madre viendo a

Greta Garbo en una película. Se la encontró a la salida del cine:

—Señorita, usted es la del film.

—Quizá sea al contrario, caballero.

Así empezó todo.

Mi padre, ahora, estaba en la defensa de Madrid, y seguía haciendo, entre los bombardeos de Franco, una vida un poco chula y literaria, como la que había hecho con Julio Romero de Torres y don Ignacio Zuloaga, pintores a los que vi alguna vez por mi casa, por la casa/palacio de la abuela, bebiendo finos vinos blancos y hablando de la luz de Castilla.

Pero las gitanas de Julio Romero estaban de milicianas con los anarcos y los capas de Zuloaga estaban de pacos en los tejados de la zona nacional, para disparar a los burgueses desde arriba, cuando salían a pasear. Mi padre estaba en el Chicote de la guerra, protegido el bar por sacos terreros, tomándose un gin-tonic con un americano de barba y violencia que se llamaba Hemingway, y nos hacía llegar cartas para toda la familia, cartas que el señor de pompas fúnebres traía en uno de los pliegues de su sombrero de tres picos o a la federica, pues era el auriga de las carrozas negras de la muerte: Judas.

Yo tenía que ir a todos los entierros de la ciudad —y por entonces había muchos—, y en un momento de disimulo, entre los pésames, aquel hombre vestido de rey francés de luto pobre, me daba el sobre que se sacaba de un doblez del duro tricornio de terciopelo, y yo iba a casa con el sobre dentro del pecho, y se lo entregaba a mi madre o a mi abuela, porque parece que éramos gente bien mal vista entre la gente bien, por las ideas liberales, progresistas y musicales de la familia.

Pero alguna vez mi padre se presentaba en Valladolid, vestido de don Mariano de Cavia, y decía en el bar Cantábrico que estaba haciendo la crónica del glorioso Alzamiento de Franco para el *ABC* de Sevilla (el de Madrid estaba incautado por la República), y bajo esta personalidad de derechas (él que había tenido tantas desde el siglo XVIII), se paseaba por la ciudad y los cafés de retaguardia, muy saludado por todos, y los domingos por la mañana nos llevaba a misa a mi madre y a mí, a San Miguel, a la parroquia, y cuando era invierno decían la misa en la sacristía, más caliente, pero muy amplia, y yo, entre ambos, vestido de príncipe de terciopelo y con mi blusa más amarilla canario con botones de cristal bueno, miraba los altos y enormes cuadros religiosos, oscuros, tenebristas, y ya me reconocí en alguno de ellos, vestido y revestido con el traje de monaguillo de lujo que luego sacaría del arcón más litúrgico don Luis el coadjutor, para ponérmelo.

Sonaba el órgano, predicaba don Marcelo González, más moderado entonces porque veía el triunfo de Franco como seguro, y el triunfo da moderación y comprensión, y la parroquia elegante de la iglesia, entre la cual estábamos, era un luto regio sin tristeza y un olor sexual de flores a María, mientras que la parroquia pobre del barrio estaba en los bancos de atrás, o de pie a los lados, encallejonándonos en su olor porcino y ahumado, como cuando tiene que atravesar uno un rebaño de vacas. Yo no entendía la misa y me miraba y me veía en el niño monaguillo, renacentista y rubio.

Una de las veces, mi padre, antes de volver a Madrid para quitarse el disfraz de don Mariano de Cavia, los quevedos y la perilla, le regaló a mi madre un Kempis, y entonces comprendí yo que no iban a misa sólo por aparentar, sino que un poco de fe les quedaba, y en esto me decepcionaron los dos, y luego Greta Garbo leía mucho el Kempis en soledad, como si fuera un libro erótico (que sin duda lo era para ella), pero a mí nunca me gustó ese libro, porque estaba como forrado de tela negra de beata, porque era un libro moral y porque, al unirles a ellos entre sí, los separaba un poco de mí.

Claro que mi padre no nos sacaba sólo a misa, sino también a tomar el vermut en el bar Cantábrico, en la calle de Santiago, esquina a la Plaza Mayor. En el salón rojo del bar Cantábrico había un clima de guerra y amor, de cruzada y alegría. Era casi como lo que debió haber sido la tienda de los Reyes Católicos cuando avanzaban hacia Granada.

Mañanas del bar Cantábrico. Los alemanes bebiendo cerveza y jugando a los dados. Los italianos haciendo la escena del sofá a las señoritas bien de la ciudad, que se habían puesto de mantilla el 18 de julio de 1936 y no se la iban a quitar hasta que Franco ganase la guerra.

Era una promesa.

Más o menos, como lo de la braga de Isabel la Católica.

Mañanas del bar Cantábrico, como escribiría luego don Francisco de Cossío, que estaba allí fumando su pipa y haciendo artículos con un gin-tonic delante. Los nacionales que habían venido del frente para tomarse un vermut rojo en la barra del Cantábrico, que habían abandonado un momento la Historia para vivir la gloria del café.

Militares o no, todos iban de militares, y al fin y al cabo los militares eran los más sobrios, porque los paisanos se pergeñaban uniformes heterodoxos, incoherentes, alegres y un poco teatrales. Siempre la gorra nazi o el gorro de legionario con borla de sangre tinta, en más sangre. Siempre los brazos al aire, hasta el codo, bronceados del bronce de la guerra, del bronce de los cañones, que no es el bronce del sol.

Y los falangistas, con su gorro muy ladeado en la cabeza, barbas de Cristo, brazos joseantonianamente cruzados, el pecho abierto y blanco, en pico, frente al pecho abierto y renegro de los legionarios.

Moros, regulares, legionarios, falangistas, militares, alféreces provisionales, enfermeras, novias de guerra, señoritas bien, escritores nacionales, don Federico García-Sanchiz con un capotón militar de no haber hecho nunca la milicia. Al fondo del salón rojo, en una atmósfera de puro, humo de café, penumbra y calor, un hombre solo, con la cabeza erguida, como ajusticiado por el alto cuello de almidón romántico, el pelo corto y tieso, una venda en la frente, los ojos fieros y femeninos y un bigote vuelto hacia arriba con bizarría que se rizaba ya en filarmonía, como un bigote de ópera.

Yo le preguntaba a mi padre quién era aquel señor:

—Es Marinetti, un poeta fascista italiano.

Un poeta fascista italiano. Un gran poeta protegido y condecorado por Mussolini. Muy viejo de lejos, sólo viejo de cerca, estaba allí solo, nadie se acercaba a él por respeto, y menos que nadie los desvencijados y sentimentales soldados italianos. Marinetti.

Nosotros tres nos sentábamos en una mesa del centro del salón, protegidos por una columna. Yo lo veía todo en los espejos de las paredes y respiraba la emanación del oro de las barandillas y el rojo de los terciopelos. Me iba llenando de un clima mundano y guerrero que también hacía vermut rojo de mi gaseosa infantil. Los generales quebrados, los oradores de trinchera, los desertores intelectuales de Madrid, se acercaban a besar la mano a mi madre, que se la dejaba no sin cierta repugnancia, porque a todos los consideraba asesinos del alcalde socialista señor Quintana, el que me había dado bombones.

La intelectualidad local rendía homenaje a don Mariano de Cavia y le preguntaban cosas que eran de todos sabidas, sobre la marcha de la guerra, sólo porque don Mariano de Cavia corroborara con su palabra y pluma de derechas, más la autoridad sepia del *ABC* nacional de Sevilla (a veces azul ceregumil), la certidumbre de la victoria.

Mi padre hacía muy bien la farsa, pero cuando se iban todos le oía hablar con mi madre de «estos fantasmones fascistas» y empezaba yo a comprender qué éramos, quiénes éramos, lo que iba a pasarnos, cómo algunos estaban en el secreto de todo y cómo el que mi abuelo reuniera en su cuartucho del Fielato a la Institución Libre de Enseñanza, y mi abuela pasease en burra con la Pardo Bazán, y mi padre reapareciera misteriosamente en Madrid, y mi madre hubiera sido secretaria del alcalde socialista asesinado, cómo todo eso hacía de nosotros gente sospechosa, gran familia a saquear no por la izquierda, sino por la derecha, saqueadora concienzuda de catedrales y palacios, bombardeadora de monumentos y costumbres, autodepurándose siempre en un encarnizamiento teológico hacia el puro hueso alucinado.

En otro rincón del bar Cantábrico, como en hornacina de columnatas y espejos, un viejo general carlista, derruido en el diván, momia quieta que sólo tenía vida en las infinitas condecoraciones del pecho, como un cabrilleo de oro y hojalata que le corría por encima. Zumalacárregui. Los periodistas y los corresponsales extranjeros le hacían entrevistas todo el tiempo. Luego las leíamos en los periódicos:

—Franco puede estar tranquilo. El carlismo es cosa mía. Los carlistas están ganando el cielo en esta guerra.

Como un inmenso vermut, el salón rojo me había mareado y enloquecido, y yo estaba dentro del vermut, porque había probado un sorbo del de mi madre, y cuando volvíamos a la calle, me sentía todo lleno del amargor dulce, grana, viril y presagiador de la guerra. Comía en mi silla infantil, en casa, exaltado y persuadido de que volvía de la guerra.

La Gilda era mujer fecunda, andaba siempre con la tripa en pico por la casa, se quedaba preñada de albañiles y viejos jubilados, de cualquiera.

La Gilda era bizca revirada, rubia teñida, aquilina y gritona. La Gilda decía que lo mejor para no quedarse empreñada era un papel de celofán de las cajetillas de tabaco rubio que traían los alemanes, los aviadores, los italianos, los periodistas extranjeros, corresponsales en la guerra de España:

—Dame el celofán, tiarrote.

Y el tiarrote le daba el celofán, con el cual ella se fabricaba unos extraños, líricos e inútiles virgos que no sé si le hacía alguna ilusión profanar al usuario, pero que desde luego no la defendían contra la potencia genesíaca de los arios, los latinos y otras razas frecuentadoras de su catre revuelto, oliente a vino y en el que siempre había alguna horquilla perdida, esas horquillas doradas que usan las rubias.

La Gilda era otra veterana de la casa y, como siempre estaba expectante, como la Virgen María en las tablas renacentistas, los clientes la requerían mayormente para los ejercicios de boca y lengua, y ella contaba de habérsela refanfinflado sabia y concienzudamente a don Leopoldo Cano, a Martínez Villergas, a don Gaspar Núñez de Arce, a don José Zorrilla y Moral, a don Emilio Ferrari, a todos los poetas románticos, postrománticos, neoclásicos y neoépicos de la ciudad, si bien luego comprobé que su erudición no llegaba a don Narciso Alonso-Cortés, a don César de Medina-Bocos ni a Nicomedes San y Ruiz de la Peña.

Parece, en todo caso, que los poetas líricos eran, son, han sido muy dados y entregados a este dejarse hacer por parte de la hembra con condiciones, y que la vegada en la boca de la puta, el dulce irse entre los labios despintados de la mujer les ponía en languidez de hetairas esproncedianas, sin chales en los pechos velludos y flojo el cinturón o los tirantes. La Gilda era la Gilda.

Mujer más aséptica, en la casa, era la Isabel, así conocida y nada más, que tenía niña en las monjas, lencería muy fina y un pelo negro, cuidado, peluquerizado, de viuda joven y ahorradora. Con la Isabel venían a ocuparse mayormente los industriales de la ciudad, las gentes acreditadas del comercio, los padres y los hijos, los gordos ferreteros viciosos y los lenceros jovenzanos e inexpertos.

Ahora puedo escribir y recordar que la Isabel era la menos épica de las meretrices de aquella casa de la calle del Conde de Ribadeo. Aunque estaba muy buena, yo diría que nunca fue requerida de carlistas, comuneros, falangistas, militares, rojos ni republicanos de la primera República española. A la Isabel sólo venían buscándola los guadamacileros, los cantarraneros, los de las tenerías y los de los almacenes de coloniales y productos ultramarinos: era para ellos digna y limpia como su propia señora, pero en puta.

Si la Formalita y la doña Nati tenían una clientela distinguida, aristocrática, selecta e incógnita, y la Gilda tenía una parroquia variada y bulliciosa, que iba de los mozos de Mayorga de Campos a los soldados de San Quintín, pasando por los poetas líricos que veían en ella una musa bestial y profunda que les daba agua de sueño, como a los grandes desvencijados baudelerianos, resulta que la Isabel sólo tenía parroquia de usureros beatos y comerciantes acreditados.

Parece que hay una sociología en todo, sí, en el gallinero, en la prostitución y en la vida. Parece que hay unas estructuras que se establecen por sí solas y jamás se traicionan a sí mismas, y esto lo aprendí yo, antes que en los libros, en la observación de aquella casa de lenocinio y sus leyes naturales, como aprendí que la rotación inmutable de las cosas se alimenta, progresa y no cae en entropía gracias al mutante, y el mutante en casa de la Formalita era el moro Muza, naturalmente, don Muza, que seguía obsesionado y calenturiento en darles por el culo a todas las inquilinas.

La casa era una tribu, una aldea, un poblado, un mundo, algo que se regía a sí mismo, un astro sin luz por el que cruzaban las huestes de la Historia, calatraveños o requetés, pero que no inmutaban la armonía de las madres primeras, la arquitectura del gran matriarcado, remitido finalmente al mito/tótem/tabú de Sussona, la fermosa fembra, mora-judía, hebreomorisca de siglos atrás o adelante, puta toledana con la que todos y ninguno habían fornicado, personaje no visto, inquilina sobrenatural de la casa, momia de no sé qué armarios, sarcófagos o desvanes.

¿Había muerto allí Sussona y la habían enterrado o emparedado en la casa, como las monjas entierran a las monjas dentro del convento? Sussona, la puta trascendental e irreal, era la contrafigura de doña Laureana, la vieja beata y avariciosa, con velo y sin mito, que vivía en la otra punta del pasillo: la muerta eternamente deseable, Sussona, y la viva caduca e indeseable, doña Laureana.

Yo madrugaba, andaba gateando entre los gatos, hacía recados, leía un poco en mi vieja enciclopedia infantil del colegio remoto o inmediato, pensaba en mi otra vida, en mi familia, en la casa/palacio de mi abuela, oía noticias de la guerra por la radio, esperando tembloroso la aparición a mediodía de Carmen la Galilea, medio desnuda y con sueño, que me pedía un café bien cargado.

Si la Galilea había dormido con un hombre, con un cliente pelmazo y adinerado, yo sentía unos celos infantiles y ciegos en el pecho, como cuando el gato me arañaba bajo la sotana de monaguillo.

Si la Galilea había dormido sola (que era lo que ella prefería, claro), tranquila y extendida en su cama de animal limpio y lechoso, de hembra rubia y joven, entonces yo la veía, la sentía virginal y jugábamos los dos con el gato, en un rayo de sol.

La Camioneta era mujer alta de esqueleto desencajado, como mula descompuesta o camioneta descuajaringada en la cuneta de la carretera, pues efectivamente le habían puesto muy bien el nombre (no sé quién se lo pondría), y tenía como una desgracia de ejes salidos, estatura excesiva, cigüeñales rotos y pintura mal despintada.

La Camioneta, reciente en la casa, había andado primero suelta por la ciudad, insultando a los burgueses franquistas, provocando a los jóvenes por llevárselos contra una tapia, escandalizando la paz clerical y nacional de la ciudad. Más que puta reflexiva y de profesión, la Camioneta era una salida con furor uterino que empezó yendo a una academia de mecanografía, la Academia Hidalgo, llevada por un cura grande y grisáceo, pero que quería tirarse a todos los compañeros de underwood, y así nunca iba a salir taquimeca. Tenía muy calculadas las horas de clase en la cercana Universidad, y cuando tocaba desbandada de estudiantes, ella dejaba la vieja máquina de escribir y se iba a la calle a mezclarse con las tunas, los tunos, los futuros médicos, ya de bata blanca, y los futuros abogados que, a sus dieciocho años, fumaban en pipa.

Una vez que se hubo beneficiado varias promociones universitarias con orla, la Camioneta, en ese descenso canalla que tiene una gradación muy exacta, empezó a trasnochar con los maricas de la ciudad, con Lirio y Culo Rosa.

Lirio era alto y muy hombre de apariencia, tenía oficio de sastre y había cantado zarzuela entre el siglo XIX y el XX. Ahora la cantaba, fuera ya de los teatros, en la noche neblinosa y silente de la ciudad. Tenor, barítono, algo era Lirio, manitas de costurera y voz de «La del soto del parral». Se peinaba en una gran onda negra, hacia atrás, maquillaba durante toda la tarde su vejez de entre dos siglos para salir joven a la noche golfa, y vestía sobrios trajes grises que se probaba a sí mismo ante el espejo con rameados, Ofelias y grandes capitulares modern/style que tenía en su taller de sastre.

Culo Rosa era afrancesado y bohemiazo, recitador y seguramente homosexual también, aunque vergonzante. Culo Rosa usaba melena corta y rizada, ojos negros pintados de negro, foulards fastuosos, bufandas desmayadas, chaquetones de oficial francés de la guerra del catorce y guantes de notario elegante. Culo Rosa hacía sus recitaciones modernistas en la media noche, todo Villaespesa, todo Manuel Machado, todo Pedro Luis de Gálvez, todo Rubén, y Lirio le interrumpía para salir con aquello de por un sendero solitario la Virgen Madre sube y va camino del Calvario envuelta en negra nube, y en su cara morena, flor de azucena que ha perdido el color, etcétera, porque ahí se perdía, le fallaba la voz, se le ahogaba el trémolo, no se sabía ya si era tenor, barítono, bajo o qué. Sin duda esta falla le había alejado del teatro y le había confinado en la sastrería.

Mientras los dos artistas hacían su arte en la noche medieval de las guadamacilerías, entre el frío y la niebla, la Camioneta insultaba a gritos los balcones cerrados de los burgueses, llamándoles fascistas, beatos, castrados y asesinos.

De pronto, la niebla se materializaba en un sereno que venía a resolver el recital con el chuzo, y entonces la Camioneta se acuclillaba al borde de la acera para orinar poderosamente sobre una alcantarilla, y el sereno, por pudor, se retiraba y les hablaba de lejos, como una sombra vaga y asturiana al otro lado de la calle:

—Que nu me armen el truenu los señoritus, que nu me armen el truenu.

En una de éstas, a Lirio y a Culo Rosa los detuvo la policía y la Camioneta entró en prostitución como si entrase en religión, ordenándose puta en casa de la Formalita como ganado de desecho para cabos lujuriosos, retirados del frente por tísicos y sin un duro.

Es lo que le dijo la Formalita el día de su ingreso en la casa:

—O esto o el correccional de mujeres, cabra loca. Tú verás, salida, guarra, tía salida.

El correccional católico de mujeres era, claro, mucho peor, y hasta la Camioneta lo sabía.

PERO don José Zorrilla y Moral, Cellorigo, Núñez de Arce, Emilio Ferrari, Martínez Villergas, todos los arbitristas, los regeneracionistas, los federalistas, los románticos, todos habían pasado por el salón de mi abuela, que recibía los miércoles, y con ellos Macías Picavea, Mallada, el vallisoletano Landrove, de modo que a los que había visto yo, en mi otra vida con las putas, deshechos de lujuria y golfería, los veía asimismo, como en un espejo (en los espaciosos espejos de mi abuela), les veía su doble vida, su vida ahora compuesta y recompuesta, pelucones de antaño, levitones verdes, furiosas corbatas románticas, medias chisteras canovistas, restauracionistas, sombreros hongos de la banca liberal, un ir y venir del salón a la saleta, de la saleta al salón, con el piano en el medio, como un lírico estorbo, como una barca mal amarrada a los mares de la música, y una de mis tías tocando en él, Ramona, como una dulce aparición, Ramona, entraste tú en mi corazón, y mis padres en un diván, mirándose aún como novios, y yo, principito de terciopelo negro con pantalón bombacho y blusa amarilla y medias amarillas y zapatos de charol, dormido con el gato detrás de los biombos, el grupo de mi abuelo con los de la Institución Libre de Enseñanza, todos en la saleta con aureolas de humo en la cabeza, aureolas coloniales todavía, habanos perfumantes, mi abuela organizando cocineras, la Ubalda y la Inocencia, porque yo me había visto, la misa del domingo, en los cuadros antiguos de la iglesia, y sabía que era yo, o lo soñaba, que venía desde entonces, yo testigo de todo, desdoblado en dos vidas por la vida. Como luego vendría Galdós con doña Emilia, en encuentro secreto, y vendrían los del 98, uno por uno.

Ramona, como una dulce aparición, Ramona, entraste tú en mi corazón.

Por decisión de mi abuela me habían puesto un preceptor y el preceptor se llamaba don Doménico. Don Doménico era alto, seco, rubio de ojos claros, con el pelo corto que se repeinaba, y siempre le quedaba un rabo tieso, de tan corto, y pensaba yo que si don Doménico se dejase el pelo un poco más largo, podría habérselo peinado mejor, ya que eso le preocupaba.

Don Doménico traía tez clara quemada de soles, castellana aria, nariz grande y dibujada como por un dibujante inseguro, boquilla fina de oro falso para el cigarrillo continuo, camisas de almidón recosido, corbata estrecha y fea, traje muy replanchado, seguramente viejo, antiguo, no a la moda, con los cuadros perdidos, ya borrosos, y unos zapatos donde el mucho brillo distraía o resaltaba los parches, los remiendos, la vejez.

Viniera por las tardes, don Doménico, y me daba las cuentas, la geometría, todo eso que era lo que menos me gustaba y más me costaba, que para aprender la gramática y la Historia no precisaba yo de don Doménico. Era duro conmigo, seco, burlón, cabrón, y comprendo, ahora lo comprendo, que odiaba, desde su pobreza católica, la holgura liberal de mi familia, de modo que me daba con la regla y yo me iba al balcón, al mirador, a llorar, a leer, a mirar a Paquito, el Paquito que yo era, el verdadero, jugando allá en la calle, entre los chicos.

—Muy mal estos deberes, don Francisco.

—Yo no soy don Francisco. Soy Paquito.

—Muy mal estos deberes, don Francisco.

—Váyase usted a la mierda.

Llamaban a mi abuela:

—¿Qué sucede?

—Su nieto se verá mal en la vida. No le entran los quebrados. Y me insulta.

—Que se vaya a la mierda. No le insulto.

Se iba muy digno, metiéndose en el bolsillo de la chaqueta el sobre azul con unos billetes que le había dado mi abuela. Hasta el día siguiente. Yo me quedaba mirando los vencejos, o corría a la parroquia para vestirme como en el cuadro místico, o leía sin luz, alumbrado sólo por el color de la cristalería verde y grana del mirador, los versos modernistas, eróticos y sentimentales que no entendía.

—Buenas tardes, muchachito. A ver esos problemas.

—No los tengo.

Don Doménico venía de gran bufanda gris y fea, de sombrero duro como de comerciante, de guantes de lana, siempre irónico conmigo, forzando la tragedia para que mi abuela le despachase con el sobre.

—Lleva esto a tu abuelita. Es la factura.

—Yo no le hago a usted recados. Llame a Ubalda.

Odiaba aquella casa, don Doménico, por la que había pasado la cultura viva de la época, no su cultura pequeña de raíces cuadradas y quebrados. No era mi preceptor, sino mi profesor a domicilio, que en eso se quedó, pues no aguantaba yo su sombra de tabaco siempre pegada a mí. Don Doménico, decían, era de Gil Robles, pero no sabía yo qué era eso ni quién era Gil Robles. Se lo dije a mi madre:

—Don Doménico es un cursi y yo le odio.

Don Doménico creía en los requetés, en la Santísima Trinidad, en los chalecos de invierno, en las fiestas de guardar, en el pelo corto, en los zapatos lustrosos, en la pobreza pobre pero honrada, en la comunión de los santos y el perdón de los pecados, en su santa esposa, en Gil Robles, en un hijo que tenía y que le había salido muy estudioso, en el postre de los domingos y en el tres catorce dieciséis.

Don Doménico creía en todo lo que no creería yo nunca, ni creía ya a mi corta edad, pero se obstinaba en ser mi preceptor o, cuando menos, mi profesor de quebrados. En las tardes quietas del verano venía con el cuello de almidón o porcelana resbalado de gotas de sudor, y en las tardes negras del invierno venía con la bufanda que le había hecho su señora, oliendo a calle, a honradez, a pobreza y a tabaco malo.

Qué asco, tanta honradez.

La casa/palacio de mi abuela tenía tres patios, como ya creo haber recordado, y estos tres patios sucesivos, tan distintos uno de otro, en una gradación hacia la pobreza o el misterio, me han estructurado para siempre la cabeza, supongo, llevándome a ordenar las cosas y entender el mundo como una sucesión de estadios, puertas, patios o síntesis que se abren a sí mismos, hacia sí mismas, creando un dentro de lo que era un fuera, y a la inversa. El primer patio tenía fuente, plantas, verdor, hamacas, gatos, silencio, olor a cera de las grandes escaleras de madera encerada y olor a flores durante todo el año.

En este patio recibía mi abuela a doña Emilia Pardo Bazán y recibía mi abuelo a los de la Institución Libre de Enseñanza. Era un patio culto, literario, tranquilo, desde el que se veía la calle, sin embargo, con sus golfos jugando a la pelota, y hasta cuya fuente entraba a veces una gitana a pedir limosna.

El segundo patio era un poco patio de vecindad, corralón de vecindonas, un jaleo de luz y gritos, y a él se asomaban la Ubalda, la Inocencia, Teresa madre y Teresa hija, las criadas de la casa con sus hijos, nietos, maridos, hermanos tontos y hermanas putas. El señor Juan, que alguna vez había sido portero, palafrenero o algo importante en la casa, se estaba en el rincón de sombra leyendo el periódico, *El Norte de Castilla*, con unos lentes sujetos por una cuerdecilla, por un bramante.

Leía el señor Juan muy despacio, dejándose las gafas en la punta de la nariz y distanciando mucho las grandes hojas del periódico. Cuando yo arreglaba un triciclo a sus pies, le oía deletrear las noticias del mundo:

—Don Er nes to Gi mé nez Ca ba lle ro lle ga rá ho y a la ci u dad pa ra pro nun ci ar u na con fe ren ci a Prim O Don nell y Se rra no cons pi ran con tra la Mo nar quí a pri me ras no ti ci as del de sas tre de Ca vi te...

Este segundo patio era popular, libre, loco, y en él podía yo jugar con los chicos del servicio, reunirme con mi otro yo, asustar a las gallinas del gallinero, asomarme a una ventana, a una habitación en penumbra dentro de la cual cosían unas modistas, sin luz, cantando todo el tiempo las canciones de una gramola y, luego, de la radio.

—El niño, mira el niño.

—Que ha venido a vernos el niño.

—Y lo rubito que está.

De aquel interior femenino me llegaba un olor sudado y frío de mujer cansada, trabajadora, un mezclado olor de viejas y jóvenes, de gato y comida, y aunque querían meterme para adentro por la ventana, a mí me asustaban un poco tantas mujeres, me repugnaba el olor de la maestra del taller, que era la más vieja y sudorosa, y acababa escapándome al tercer patio.

El tercer patio era ya lodazal, trastero, refugio de alimañas, salida a la carbonería, negrura de carboneras, moridero de perros, tapia de sabandijas, todo a una luz más sucia y alambrada. Y en este tercer y último patio me quedaba, revés de la casa/palacio, comprendiendo que hay tres clases sociales, tres personajes de la Santísima Trinidad — no te jode, don Doménico —, tres edades históricas (antigua, media y contemporánea), tres agujeros en la mujer (boca, coño y culo), tres Marías en la vida de Cristo, y sintiendo que todo eso había que volverlo del revés, no sabía entonces por qué, ni lo sé hoy.

En este tercer patio me quedaba, escribía por las paredes con carbón de encina, engañaba a las arañas zumbando como una mosca con la boca, hasta hacerlas asomar, hacía figuras de barro santo, niño solo, yo, viendo un cielo también más sucio, más salvaje, de un azul más crudo y revuelto. En este patio nació el yo, mi yo, que luego se partiría en dos, ante el otro yo del cuadro de la sacristía, y se haría tránsfuga de siglos, de vidas, de patios.

En este patio, quizá, me masturbaba por primera vez.

La casa de la Formalita se encontraba, sí, en la calle del Conde de Ribadeo, pero yo no me había preguntado quién fuera ese conde hasta que empecé a sentir pasos en la noche. Si en otro tiempo me habían desvelado los cascos del caballo de un comunero o un carlista, atado toda la noche al farol o la reja de la calle, hubo una temporada en que me desvelaron y metieron en miedos unos pasos, un lento pasear nocturno, como de tacones finos, a una hora imposible de fijar.

Cierta noche salté de la cama, miré por mi buharda, avancé un poco a gatas por el tejado cuesta abajo, sobre las tejas antiguas e inseguras (ejercicio éste que había costado muchas vidas), y estuve al aguardo de aquellos pasos, que efectivamente iban y venían por la nada de la estrecha calle, se alejaban y se acercaban, primero desde una esquina, luego desde la otra, y ni siquiera cuando los tenía debajo de mí pude ver al que pasaba, pisaba y paseaba.

De mañana se lo dije a Carmen la Galilea, en cuanto se levantó:

—Galilea, tengo miedo.

—¿Quieres volverte con los sacristanes?

—Oigo pasos por las noches.

—Déjate de ánimas, que a ti ya se te pone durita y puedes dar buen juego en la cama dentro de poco.

—No son ánimas, Galilea. Es que alguien invisible

85

se pasea taconeando, despacio, por nuestra calle.

La Galilea me miró con el inexistente bigote rubio untado de leche, como una gata:

—Tú dices el Conde de Ribadeo — saltó de pronto, dándose una palmada en el muslo, como para despertarle. Y efectivamente sus muslos, bajo la bata de dormir, eran como dos hermosos animales homogéneos, paralelos y fuertes.

—Eso es el nombre de la calle.

—Pero antes sería un señor, Francesillo. Un conde, ya lo dice el título. Un follador, quizá. Por eso le pondrían su nombre a esta calle.

—¿Y pasea muerto?

—Yo qué sé, chico. David también le oía antes.

—¿Me estoy volviendo gilipollas como David, Galilea?

—Pero qué salidas.

Y me restregó la cara con su mano áspera, seca y muy femenina, a pesar de todo.

—Es el espíritu de don Ribadeo. Sólo se les aparece a los niños.

—A mí no se me ha aparecido. Sólo le oigo.

—Algunas que vienen nuevas también le oyen los primeros meses, todas las noches.

—¿De qué siglo es este señor, Galilea?

—Ni me digas, hijo.

Yo quería colocar al conde/duende en el tiempo, imaginármelo de peluca del XVIII o de levitón del XIX o de sombrero hongo del XX.

Yo no podía vivir — mejor, dormir — mientras se paseaba por la calle un conde/duende que nadie oía más que yo y, quizá, David el bestia.

Pero la Galilea no me sacaba de dudas.

—No me sacas de dudas, Galilea.

Más que angustiarme la existencia del conde/duende, que no me angustiaba nada, y ya estaba yo muy dispuesto a recibir su nada en mi mente, en mi nada propia, de menos entidad aún que la suya, más que eso, digo, me angustiaba no saber nada del señor conde, no poder imaginarle, porque habiéndole imaginado le habría creado, y siendo ya cosa de mi cabeza no podía darme miedo, como no me lo daban otros muchos fantasmas que andaban por dentro y por fuera de mis pensamientos, en mi desdoblada y extraña vida.

Pregunté a la doña Nati, pregunté a la Formalita, pregunté a las alcahuetas. Todas sabían del conde/duende, pero nada fijo. Que se aparecía o paseaba, invisible, por cuaresma, o más bien cuando había venido una puta nueva, como rondándola, y sólo ella le oía. Que daba su paseata sólo en las noches de luna o sólo en las noches de niebla o sólo en las noches oscuras. Cada mujer de la casa tenía su leyenda sobre el Conde de Ribadeo, pero ninguna se había acostado con él ni preocupado de averiguar de qué siglo venía a pasear, desde qué época trasnochaba así. Para ellas, el Conde de Ribadeo, al que daba mucha realidad el llevar el nombre de la calle, era una cosa habitual de la noche, del dormir, del sueño, como el sereno cantando las horas y la lluvia, como el caballo de un guerrero que dormía en la casa, en la ancha cama de la Formalita, junto a ella, como el maullido de los gatos cuando la guerra, en Tablares, como el ladrido de un perro lejano en las huertas de Santa Clara o como los disparos de los fusilamientos, de los *paseos*, de las ejecuciones, de las *sacas*, que era una cosa que hacían los nacionales en aquella guerra, y que llevaban siglos haciéndola.

En noches sin descarga de fusiles contra el rojo, el patriota o el maestro, en noches serenas sin maullido ni ladrido, sin lluvia ni luna, seguramente con niebla, atendía yo, desde mi alta cama, a los pasos del conde/duende, a su rondar la calle, a su vigilia, a su bien pisar de aristócrata, de caballero, quizá de cortesano o militar. El conde/duende de Ribadeo, sencillamente, paseaba su calle. Acabé necesitando sus pasos para dormirme.

¿Quién era el conde/duende de Ribadeo?

La Peseta era la única meretriz no fija de la casa. La Peseta vivía en régimen especial de externa que se trabajaba la parroquia por la ciudad y llevaba al cliente allí, a casa, sólo para despachar el negocio.

No sé ni recuerdo por qué caminos, convenios, cosas, llegó la Peseta a ser la única mujer libre en aquel régimen de clausura, algo así como una monja brígida de clausura que anduviese todo el día comadreando por los mercados mientras las otras rezaban en el coro. La Peseta era alta, recia, con cara de valenciana muy venteada, poco guapa, pero tersa, de pechos altos y antiguos, de piernas de pollo o de gallina, que no me gustaban nada.

La Peseta tenía un amante o chulo que era asentador de frutas y le daba grandes palizas, bofetadas y patadas en sus partes, a la hembra, cuando ella aparecía por el mercado a darle los buenos días, llevarle una trinchera para la lluvia, que le había comprado, o unos cartones de tabaco canario, obsequio del moro Muza. La Peseta se pasaba el día armando escándalos por la ciudad, riñendo con las vecinas de todos los barrios, dándose palmadas en el congestionado descote, para decir que allí estaba su honradez, y tirando de las orejas a los niños de las bandas callejeras que la llamaban puta y peseta. No me gustaba aquella mujer.

No me gustaba porque respondía, sin lograrlo del todo, a un tipo de belleza española de falla valenciana que nunca me ha interesado, y porque era muy gritona y de pronto se presentaba con el asentador de fruta en la casa, para beberse unas copas o pasarse los dos la tarde en la cama, cosa que a la Formalita no le gustaba nada tampoco, porque aquel servicio con el chulo no se cobraba.

¿Qué hacía allí la Peseta? Nunca lo supe. De pronto se presentaba con clientes de paso, cogidos en la Estación del Norte, en el parador de diligencias que había por detrás de la Plaza Mayor, o gitanos tratantes del Café del Norte, que lo llenaban todo de brillantina y reflejos de navaja.

Alguna vez, la Peseta le decía a David el bestia:

—Anda, vente conmigo, que vamos de compras.

David el bestia se cambiaba el jersey de borra de Auxilio Social, colgaba en un clavo el mandilón hospiciano que solía llevar, se limpiaba un poco las rodillas con saliva y allá se iban los dos, por la calle, hacia el centro, ella armando el trepe, como siempre, y él amenazando a los que le parecían más débiles y escondiéndose de los que le parecían más fuertes.

Al anochecer volvían cansados, revueltos y riéndose mucho, ella como una fallera recién jodida y él como el imbécil que era, con risa de burro hospiciano. La Peseta traía pequeños regalos para todas: pendientitos, collarcitos, pulseritas, florecitas de celuloide, cositas que había comprado en los mercadillos callejeros del Campillo o del Val, y que las putas se ponían sólo un rato, con ilusión de niñas, en el cuello o el pelo, para luego olvidar la joya en una taza de café aún sucia o dársela a un amante caprichoso, enamorado y fetichista de un cuarto de hora.

David el bestia solía venir con una brecha en la frente, los morros partidos (gruesa boca como de otra especie) o con una mano vendada, porque la Peseta le metía en broncas por el gusto de ver cómo los guardias, los chicos o los señoritos le breaban a hostias.

—Y qué valiente que ha estado el David —decía la Peseta.

A David le compraba castañas pilongas que él roía aún con sus dientes grandes y verdes, ya de vuelta, olvidado de las palizas y el engaño.

Cualquier tarde volvían a salir de compras.

AZORÍN vino a casa, Azorín, siendo yo niño de mirar por las rendijas o boca de ángel que echa agua por brocal de pozo, y le estuvo enseñando el patio hermoso, el primer patio, al Caballero del Verde Gabán, que luego trataría yo por el Quijote, y los dos iban quedos, con mi abuela a distancia, respetuosa, mirando las maderas, la calidad de un vidrio, el temblor de una hoja, el rosetón de luz sobre la cal.

Caballero del Verde Gabán, todo sosiego y silencio, mirando circunspecto, contento de la casa, conteste, algo le habría contado, en otra vida, don Miguel de Cervantes, vecino que fue de Valladolid, calle de Miguel Iscar, casa/jardín adonde le llevaba hogazas y tocinos de su pueblo el poeta local Nicomedes Sanz y Ruiz de la Peña.

Y Azorín, de abrigo estrecho, con cuellecito de terciopelo, cuello duro, explicando en susurro las estancias, ahogándose mucho, todo párrafos cortos, como un tartamudeo, luego subí o bajé a la biblioteca de mis padres, cuando se hubieron ido los ilustres, a releer Azorín, y tampoco me gustó, todo un poco pajizo, todo un poco sequizo, como en su charla rubia y corta, sin verdor de metáforas jugosas.

Pero les vi, les vi, y aún lo recuerdo.

En los veranos, como siempre, el paso de doña Emilia, una vez con un hombre de gorra de cuadros, perro moteado, gran mostacho y quevedos, como un maestro de obras enriquecido en Madrid, porque algo madrileño tenía el caballero:

—Es el Pérez Galdós.

—Es don Benito.

—Es el amante de la doña Emilia.

Cosas así decían las criadas, y llegaba el chisme hasta el segundo patio, el de las modistillas, que habían leído los Episodios Nacionales y corrieron a ventanucos, entrepuertas, rendijas, escaleras, a ver al gran autor, gloria de España, con la escritora gorda y con el perro.

—No puede ser él mismo.

—No puede ser.

Nada glorifica y aureoliza a la cultura como la ignorancia. La gloria no está hecha con entramado de lectores cultos, sino con argamasa de ignorantes. En una tosferina posterior y cultural, le pedí a mi madre algo de Galdós, algún Episodio. (Mi padre iba más por lo esteticista/estetizante: mi madre era más piadosa con las viejas glorias nacionales.) Leí *Arapiles*, o *La batalla de los Arapiles*. Algo así. Vaya. Me deslumbró un poco, me aburrió. Mejor que Azorín, en todo caso, porque estaba más vivo. En otro Episodio, con bandera española en la portada, creo que el que trata de don Amadeo de Saboya, Madrid con su luz de entonces, el Madrid ya soñado, mi Madrid de otro siglo.

La cultura y la Historia de España de paso por mi casa. Galdós, doña Emilia, los institucionistas, la biblioteca librepensadora de mi padre, lo que luego no perdonarían, con la guerra, los señoritos incultos con pistola.

La ruina de una familia.

El abuelo andaba entre lo que tenía de Cristo reencarnado, Cristo yacente de Gregorio Fernández (algunas noches que dormí en su alcoba, no recuerdo por qué, él no dormía con la abuela, desde luego, le vi la llaga del costado, como al Cristo de la parroquia). El abuelo andaba entre eso y su vocación institucionista, hay que salvar España, don Francisco Giner de los Ríos era santo laico y mi abuelo era institucionista católico.

Podían llegar a entenderse.

Pero el servicio decía que mi abuelo no estaba bien, que iba a morirse, y lo que yo imaginaba era la llaga del costado, abriéndose y abriéndose, como la aleta de un pescado, como una branquia monstruosa, como una agalla roja y de color amargo, justo bajo el bolsillo del chaleco, donde guardaba el gran reloj de consumero, el tabaco negro que fumaba y liaba, el dije de una hija muerta, Josefina, el anillo de boda, que no le cabía en el dedo hinchado y morado, y unas monedas de las que a veces me daba, perronas de cobre como las del moro, cuproníqueles con su agujero.

El abuelo vivía en la Teología y en la Historia. En unas mayúsculas que a mí me daban vértigo, como las tapias de Tablares. La abuela vivía en la música callada de la casa o el trote manso de la burra. Mis padres vivían de novios casados, en la vanguardia modernista, con libros que llegaban de Madrid, rizados del uso y del calor sobre el rizo barroco de su portada modern/style, art/nouveau, todo aquello, Rubén y sus mastines modernistas, peregrinó mi corazón y trajo de la sagrada selva la armonía. Peregrinaba yo hasta el tercer patio, me masturbaba y volvía a la clase monacal de don Doménico, zumbándome por dentro los endecasílabos de oro del poeta.

EL primer patio, el segundo patio, el tercer patio. Para los males de la mente había remedio en el primer patio, agua sana, agua verde purificada de sapos, y sombras de claustro con la temperatura siempre igual de la piedra. Para los males del cuerpo había remedio en el segundo patio, viejas curanderas, recetas del señor Juan, huevos frescos que sacaban del culo de la gallina para hacérselos al niño, batidos con leche y azúcar. Para los males del alma había remedio en el tercer patio, melancolía, miedo de tanto cielo azul, tristeza de ser niño, masturbación, soledad, silencio, las campanas de la iglesia y el coro de las monjas, todo como llegando desde otro mundo, y yo oyéndolo como embalsamado, principito persa perpetuado en momia con oídos. Niño autista.

Pero lo que tuve aquel verano fue un mal de oídos, el derecho, que me manaba, me supuraba y me dolía, y hubo que buscar remedio en el segundo patio, donde Rosa, hija de criados, madre de criadas, estaba dando el pecho, sus pechos sonrosados y morenos de mujer de treinta años, a su último nacido:

—La leche de mujer es lo mejor para el oído.
—Está llena de substancias.
—Y la temperatura, que alivia mucho los dolores.

—Siempre los remedios naturales.

—Son los seguros.

En mis padres debía haber como un escepticismo de toda aquella cultura aldeana. Pero la autoridad de mi abuela gravitaba sobre el dolor del nieto y el orden de la casa. Yo me volvía ligeramente por ver tan de cerca y tan grande, con su olor y su pezón como una flor, el pecho de Rosa, su benéfica teta.

—Vuelve la cabeza, niño, que no te acierto con el chorro.

—Si se estará quieto de una vez.

Y el oído se me llenaba de un licor cálido, burbujeante, de un enjambre de agua y leche, de un mosconeo líquido, y toda la cabeza se me iba llenando de lo mismo, porque cerraba yo los ojos por representarme en la oscuridad aquel pecho de mujer que había visto sobre mí, como debía verlo el Niño Jesús cuando la Virgen se inclinaba sobre él, en los cuadros y las esculturas, y porque con el alivio del dolor me iba adormeciendo.

Nunca he tenido una mujer tan dentro, tan dentro de la cabeza, nunca he tenido el pensamiento tan impregnado de leche y substancia de mujer. Rosa, la Rosa, venía por la mañana y por la tarde a derramar su esencia tupida en el dedal de mi oído, antes de haberle dado de mamar a su hijo:

—Porque Paquito reciba la primera leche, que es lo curativo.

—Eso.

Sólo mucho tiempo más tarde, o mucho tiempo atrás, quizás en otra vida, cuando los pechos anchos y tranquilos de Carmen la Galilea me fueron tan familiares, tuve semejante sensación de vivir nutrido por un líquido de mujer, por un agua maternal, por una leche perfumada y salutífera. Porque mi madre, tan moderna ya, era mujer de poco pecho. El poco pecho que había querido imitarle Greta Garbo para hacer folletines de León Tolstoi.

Cuando pasó mi enfermedad, mi dolor de oídos, cuando don Doménico vino de nuevo a darme escuela, al quedarnos los dos a solas con los libros, me dijo:

—Bueno estás tú de orejas, como los burros.

Y me dio un tirón maligno de la oreja mala.

—¡Fascista! — le dije, en un grito que no sabía entonces lo que significaba ni cómo había pasado a través de mí. No sabía yo que con ese insulto había inaugurado la guerra civil.

LA primera guerra carlista nos trajo a Infanta. Infanta era entrerriojana, de dieciocho años, y ya para cuando llegó a casa de la Formalita, Carmen la Galilea me había iniciado a mí en las artes marciales de la cama, cosas que una mujer puede hacer con la boca en la picha de un hombre, o con la picha de un hombre en la boca, cosas que un hombre puede hacer con la boca en la vagina de una mujer, o cuando menos en la vulva. Aparte fornicaciones, masturbaciones, placeres y menesteres que Carmen la Galilea ejerció en mí con lujuria maternal y ternura de puta buena.

De modo que quise ser para Infanta, niña callada y morena, huída de la guerra, un poco lo que la Carmen había sido para mí, y pronto la tuve a mi merced. La Formalita la ofrecía a los clientes como primicia deleitable, y ella se dejaba hacer con los ojos abiertos y duros, la boca un poco torcida y el cuerpo obediente e indiferente. Pero fue tiempo de pocos clientes y a Infanta le divertía acostarse conmigo, en tardes de siesta y soñarra, mientras la vieja alcahueta, en el pasillo, puesta en todas las corrientes para estar fresca, escuchaba por la radio art-decó las noticias de aquella primera guerra carlista. A Infanta parece que no le interesaba mucho conocer el panorama general del movimiento histórico que la había desplazado hasta Castilla y la tenía de niña puta en Valladolid.

Una cosa que aprendí pronto con Infanta es que se podía fácilmente dar por retambufa a las mujeres, y así se lo dije al moro Muza, pues al principio su obsesión me había parecido locura o aberración religiosa de su tierra:

—Señor Muza, que le doy por detrás a la Infantita y va muy bien. Parece que le gusta, y a mí también.

—Ay españolo Francesillo, listo para todo mi el muy amigo.

De estos ejercicios sodomizantes con Infanta saqué en conclusión que la mujer es criatura de muy pulcras y funcionales fontanerías interiores, contra el rumor clásico y el mito bíblico y paulino de la impureza de la hembra. Todas, hasta las putas, estaban más limpias y eran naturalmente más puras que los hombres, siempre oliendo a calzoncillo, los tíos guarros, desde Estebanillo González al arbitrista Cellorigo.

—¿Por detrás o por delante, Infantita?

—Lo que a ti te divierta, Francesillo.

Era niña de pocas palabras, la entrerriojana, y pasamos muy buenas tardes jodiendo como dos niños sabios y puros en la soñarrera castellana y la penumbra de mi cuarto o el suyo. Ay la Infantita.

La segunda guerra carlista nos trajo a Clara, mora gallega y cosa rara, niña de veinte años que había huido de sus padres, muy médico carlista, él, para correr la vida y conocer Valladolid, y hasta, si era posible, Madrid. Le gustaba el vino a Clara.

Clara era oscura, de pelo enredado y rico, de ojos densos y negros, de boca mora y enamorada, de cuerpo muy delicado y andares sutiles, femeninos, sexuales, felinos. La Formalita la tuvo también de puta niña. Para entonces, a la Infanta se la habían llevado ya los alguaciles, quién sabe dónde, seguramente a la Real Chancillería, aunque no sé para qué. Clara había conocido el amor un poco, pero sobre todo era niña ardiente, sexo en éxtasis, beso profundo, manos de uñas mordidas por el tiempo, y senos levísimos, crecidos a esa altura en que le crecen al mármol de las estatuas, nunca a la carne de la mujer. Clara sabía emborrachar a los clientes con su propio vino y, niña como era, se venía a mi cuarto a joder dulcemente, y acariciaba mucho mis delgadeces, y le gustaban los libros clásicos que rodaban por la casa.

—Góngora, me gusta Góngora porque es estático.

—Pero es muy difícil, Góngora.

—No lo creas, mira.

Y me leía un trozo de Góngora, la cultísima Clara, mora pálida, niña borracha, jodetriz que jamás cayó en la obscenidad de cuadra o cochiquera en que caían las otras. Iba para señorita bien, aunque ya nunca llegase.

—Francesillo.

—Qué.

—¿Tú te vas a quedar aquí para siempre?

—Yo no sé lo que es siempre. Llevo años en esta casa, siglos en esta ciudad. Cualquier día volveré al cuadro de iglesia en que estoy pintado.

—Qué bonito, Francesillo.

—Quizás estoy ahora mismo, en la otra punta de la ciudad, dando escuela con don Doménico o tomándome un limón fresco y con azúcar que me ha preparado mi abuela. Allí me llaman Paquito.

—Me gusta oírte inventar historias, Francesillo.

—Otro día te contaré la del Conde de Ribadeo, que se pasea por esta calle, invisible, en las noches de menguante, y se le oyen los tacones.

Volvíamos a joder limpiamente, directamente, un poco dramáticamente, como lo hacía todo Clara. Y me acariciaba el pecho pelado hasta que la llamaban para un cliente.

La guerra de Cuba nos trajo a Ofelia, que era hija de un tapicero de la ciudad, un tapicero que tenía el taller por la calle de las Angustias y que, como aún era joven y la guerra apretaba, le había tocado Cuba.

Las tropas partían en tren, desde la Estación del Norte, de Valladolid, que era una estación blanca y muy grande, entre balneario y catedral un poco achaparrada. Yo había ido a aquella estación en otro tiempo, o iría alguna vez (se tienen recuerdos del futuro con mayor motivo que del pasado), cuando mi abuela me llevaba de la mano a despedir a doña Emilia Pardo Bazán, que seguía ruta hacia su Pazo de Meirás, en verano.

No sé si los soldados, vestidos de rayadillo, confortabilizados ya para el clima solar de aquella España redonda y rebelde del otro lado del mar, iban hacia Madrid o hacia un puerto del Atlántico, de donde partirían hacia América. Pero la Formalita y la doña Nati habían decidido que aquello no había que perdérselo, que era un acto patriótico, un momento de nuestra Historia, y pusieron a las niñas en movimiento.

En uno de los carros de la cercana funeraria, mitad pintado de negro, con lamparones de madera cruda y sana, sin cruz en lo alto, que hubiera sido sacrilegio, y con tracción de dos caballos pintos que estaban entre el cementerio y la plaza de toros, por su estampa, nos trasladamos todos a la estación:

—¿Queréis que me vista a la federica? —había dicho a las putas el cochero.

—Que no nos lleves a enterrar, Judas, que todavía tienes que dejarnos unos amadeos y echarnos unas vegadas —reían las putas.

El cochero funerario se llamaba Judas, como ya he dicho.

Judas fue vestido con traje de taller, de faena, al pescante, y a sus lados se sentaban la Formalita y la doña Nati, la primera muy enlutada, porque aquello era «enviar unos mocetones al matadero», y la segunda muy festera, de traje con rayas azules y blancas, y pamela azul de encaje blanco, «porque hay que dar alegría a los hombres machos que van a defender España allende los mares».

Judas daba latigazos a los caballos y procuraba tocar con un codo o con otro los senos de sus viajeras. En el sitio del muerto propiamente dicho, o sea dentro del coche, iban las putas más escogidas de la casa, con las piernas cruzadas y fumando, sentadas en la madera, o con las piernas colgando al lado de las ruedas.

Yo iba en la trasera, vestido de monaguillo, por darle algún carácter de entierro a aquella juerga, y veía la ciudad alejarse de mí, como se ven las ciudades y los paisajes cuando se viaja de espaldas. Edificios, iglesias, grandes grupos de gente endomingada, racimos oscuros de obreros, plazas, la masa de verdor del Campo Grande, todo quería avanzar hacia la estación, como en los sueños, y todo iba avanzando hacia atrás, retrocediendo.

No llegaría la ciudad a tiempo de despedir a sus heroicos soldados.

Aquello era un poco como cuando salimos de noche a la conmemoración de don Álvaro de Luna. Algunos transeúntes se dieron cuenta de lo que significaba aquella carroza fúnebre, parcheada de madera reciente y sin pintar, llena de mujeres que fumaban y se tocaban con pájaros verdes:

—¡Pero sin son las putas de la Formalita!
—¡Fuera con ellas!
—¡Tienen derecho a despedir a los héroes!
—Como mujeres, se sentirán madres.
—¡Es una iniquidad!
—A las putas sólo les hacen llorar los desfiles, las procesiones y las cogidas de los toreros — le oí decir a don José Zorrilla, entre sentencioso y cínico, de pie en una esquina, coronado de laurel y purpurina, en medio de un grupo de literatos enlutados, cuando la carroza casi paró a su lado para coger una curva. En la estación estaba ya toda la ciudad, que a mí me parecía que se había quedado muy lejos. Había pamelas

decentes, velos de viudas, muchos soldados de rayadillo, señores de mostacho, militares con fajín, cruz y espadón, artesanos con la gorra en la mano y España en los ojos. Sonaban himnos y la locomotora rugía contra ellos. Era el ángel de la música contra la bestia de la industria y la guerra. El duelo se dibujaba en el humo de la estación, una alegoría inundada de sol. Allí, con su familia, despidiendo serena a su padre, unos veinte años de niña limpia, de madona prerrafaelista, de esbelta muchacha, estaba Ofelia.

Los pinares de la abuela eran vastos, inmensos, infinitos, y por eso cuando don Domético me explicaba que Castilla era árida, seca, dura, yo suponía que el maestrillo me estaba mintiendo, y pensaba en los pinares de mi abuela, que, según yo imaginaba, cubrían toda Castilla de sombra y verdor.

Un poeta local, don Francisco Pino, hombre de pelo gris, ojos buenos, maneras elegantes y un poco nerviosas, lo había dicho en unos versos que a mí me gustaban mucho, en una de aquellas veladas literarias con Núñez de Arce, Zorrilla, Emilio Ferrari, Martínez Villergas y otros ingenios, en el salón del piano:

> Arenales que copas tan verdes
> le dan al aire
> ¿serán arenales?

Y estos versos y otros leía yo en las mañanas de los pinares, en verano, cuando iba a sentarme debajo de un pino, aquel pino que me parecía más entremetido entre los otros, el pino solapado, con mejor sombra, el pino clandestino: Arenales que copas tan verdes le dan al aire. Aquel largo verso tenía una música que a mí por entonces se me escapaba, que no sabía cifrar ni contar por los dedos, pero que me hipnotizaba. Arenales que copas tan verdes. Seré poeta, me decía en voz alta. Seré poeta. Le dan al aire.

Por los pinares de la abuela populosos de pinos y rumorosos de pequeños animales silbadores, quejadores, fornicadores, pasaban a los lejos carros de mudanza, carros con espejos, cuyas lunas arrancaban un hacha instantánea de sol al cielo escondido de allá arriba.

¿Serán arenales?

Carros de los colonos, de los aparceros, de las gentes que vivían en los pinares, que vivían de los pinares, al cuidado de mi abuela, más que los pinares al cuidado de ellos: un pinar se basta a sí mismo, como una legión de guerreros bien avituallada. Carros de colonos que iban con los muebles amontonados, siempre algo brillador allá arriba, tirados por un mulo lento, con un hombre a horcajadas, desayunando de cuchillo, o un niño y un perro en la trasera, casi cayéndose, discutiendo entre ellos.

Eran seres remotos que cruzaban el paraíso terrenal de mi abuela, eran el buen salvaje con una mula y un armario de luna, eran astros humildes y erráticos por los dominios verdes, extensísimos, de mi abuela. Yo me fumaba un fumaque, que es esa especie de puro que le sale al junco en la punta. Entreleía *A los pies de Venus*, de Blasco Ibáñez, que había cogido sin prohibición ni prevención de la biblioteca personal de mi padre, y me aburría todo aquel mundo de estatuas con chaqué y Venus de mármol con los labios pintados de rojo. Pero me gustaba el libro en sí, como libro, como cosa, la blanca y dorada y tostada edición de *Prometeo*, y me gustaba sobre todo estar allí, en los pinares de mi abuela, con un libro en las manos, sentado sobre las crujientes agujas de pino, que eran como un inmenso nido vacío que alfombrase todo el pinar. Goterones de sol sobre las blancas páginas, paganismo ingenuo del día sobre el paganismo falso y literario del escritor, y los versos, mucho más puros, del poeta local:

Arenales que copas tan verdes

A lo mejor luego me masturbaba yo entre los matorrales, presuroso de nada, sólo por pecar de prisa, por la primitiva asociación entre placer y urgencia:

le dan al aire

O me subía a lo alto de un pino para coger la piña más hermosa, más verde, más fresca, más apretada:

¿serán arenales?

Había como una vaga rima entre «aire» y «arenales». ¿Pero en qué consistía esa rima que no era evidente y total como las del Tenorio, por ejemplo? Por entre los pinos más remotos pasaba otro carromato, o quizás el mismo, de unos nuevos colonos, inquilinos, lo que fuese, que se orientaban buscando el camino de su casa, con el corralillo y los conejos.

Después de «aire», el poeta no había necesitado poner coma, porque pasaba a otro verso, y el blanco en el papel espaciaba mucho mejor que una coma. Además que, después, venía una interrogación, con lo cual la nueva frase, la pregunta-respuesta quedaba aislada, temblando en el aire, y ese temblor era la poesía misma. ¿Era yo muy profundo descifrando un poema, o era tonto? Me olían las manos al humo del fumaque y al semen de la masturbación y a la tinta del hermoso y aburrido libro.

Iba hasta una acequia cercana, me medio desnudaba y lavaba mis culpas y mis culturas en el agua verde, negra, fría, discreta, que sólo promovía un leve escándalo de chapoteo en el silencio inalterado de las ligeras y pesantes copas de los pinos, tan comunicadas unas con otras. Arenales que copas tan verdes le dan al aire. Paseaba con el libro bajo el brazo y la piña en la mano. Miraba aquel cielo verde de los pinos, que era de mi abuela, y más arriba el cielo azul del verano, que era de mi abuelo.

¿Serán arenales? No. Debajo de estas mullidas agujas de pino, debajo de esta tierra de humedad y lagartos, debajo de los arenales tiene que haber agua, palacios de agua, catedrales de agua, familias del agua.

Y lloraba por nada el niño, creyendo que lloraba el poeta, por todo.

Algunos veranos, mi madre iba a los pinares a curarse el pecho. El verano en que iba mi madre a los pinares, en lugar de ir a San Sebastián con las primeras bañistas, que tanto escandalizaban a la Corte alfonsina y brocada, era un verano como más ordenado y melancólico, y yo diría que la enfermedad de mi madre se extendía a la redonda, por kilómetros y kilómetros de pinar.

Donde apenas había enfermedad, era junto a ella.

Primero había optado yo, cobardemente, por irme lejos, por perderme en la salud del agua y la hierba, para olvidar la enfermedad de la enferma. Pero luego fui descubriendo que la enfermedad se hacía cósmica, velaba sutilmente el sol y el agua, mientras que en la casa, cerca de mi madre, no había enfermedad, o se reducía ésta a cosas muy cotidianas y tranquilizadoras, como que le hervían un huevo a media mañana o le sacaban la hamaca a la sombra del jardín, donde se quedaba leyendo. Desde entonces he sabido, en la vida, que el mal, la enfermedad, la muerte, van tras de nosotros cuando les huímos, y llenan el mundo. Si uno, por el contrario, se instala en el caos, el caos se vuelve razonable, confortable casi, y por supuesto habitable.

Mi madre, enferma y todo, cantaba mucho la canción de aquel verano. Hojas somos en el viento que con giro raudo y lento van y vienen sin cesar: cuando al fin nos encontramos, los dolores que lloramos no se pueden remediar. Fuiste tú la mujer buena, la piadosa Magdalena que consuela con su amor, y a pesar de amarte tanto, un amor honrado y santo ya no puedo darte yo. Limosna de amor le diste un instante, limosna de amor, a mi alma sangrante.

¿Se curaba mi madre, en los pinares, o se ponía peor, se afilaba más de melancolía y soledad?

Las mañanas más gloriosas, las tardes casi mitológicas de los pinares de la abuela, eran para mí las de la acequia. En los últimos tiempos ya me bañaba completamente desnudo, y así me encontraban las muchachas que acudían a refrescarse un poco, a mojarse los pies o a darse un baño dentro de su bañador como neumático, color naranja, que les embutía la carne como a las artistas de las películas.

Hijas de los colonos, excursionistas perdidas que habían ido a parar allí, niñas de fincas colindantes. Primero, mi desnudo en la acequia fue leyenda no vista, pero luego las chicas se acostumbraron, y alguna de ellas también se desnudaba, y jugábamos en el agua estrecha y musical, contra una perspectiva de lámina romántica, álamos, cipreses, chopos, crepúsculos.

Un día vinieron una banda de chicos para pisarme desnudo, en el suelo, con sus catorce pies de ciempiés humano y en celo, pero escondí mis ropas entre los matorrales, me subí a la copa del pino más alto y allí estuve, quieto, invisible, viéndoles ir y venir, oyéndoles jurar, hasta que se contentaron con tirar una chica a la acequia, entre dos, vestida. Y se fueron riendo y cantando.

Bajé del árbol. La muchacha salía del agua embarrada y desesperada. Entre las otras la desnudaron y lavaron. Envuelta en una gran toalla, vino hacia mí, que me había vestido y leía contra un pino. Era una chica rubia, muy joven, con la inexperiencia de la fruta en el rostro.

—Gracias y perdona — dijo, no sé por qué.

Me dio un beso en la mejilla. Yo se lo devolví en la boca. Luego se fueron todas, volviéndose de vez en cuando para saludarme. La enfermedad de mi madre descendía como un raro crepúsculo sobre el cielo y los pinares, ponía como un velo delante de mi libro. Limosna de amor le diste un instante, limosna de amor a mi alma sangrante, limosna de amor que yo te pedí, déjame pagarte tan santa limosna teniéndote siempre muy cerca de mí.

HABÍA salido yo mismo a abrir la puerta, era una
llamada tímida, rara, y allí estaba, en la penumbra de
la escalera, Ofelia, la niña que había conocido en la
estación el día en que las tropas partieron para Cuba.

—¿Eres tú, Francesillo?

—Ya ves que sí.

Ofelia y yo habíamos conversado aquella mañana
en la estación, mientras la gente vivía un momento
histórico. «Soy el monaguillo de las putas», le había
explicado a la muchacha. Esto le hizo mucha gracia y
me prometió ir un día a verme y a conocer aquel mundo, pues la pamela de la doña Nati y el loro verde que
llevaba la Gilda en la cabeza, la habían fascinado. Ofelia, ahora, venía de negro, de luto.

—No me digas nada, Ofelia. Tu padre ya cayó.

—Sí, claro.

Pero no lo decía alegre ni triste. Ofelia era siempre
igual, serena, segura, optimista, divertida. Salí a la escalera con ella, entornando la puerta, nos sentamos
en un escalón y me contó que, al recibir la noticia de
la muerte de su padre, en Cuba, la familia se había
deshecho. Por la radio de la alcahueta seguían llegando noticias bélicas. La guerra para Cuba iba mal, y la
guerra, para Franco, iba bien. Los bruñidos bronces
de la cañonería yanqui habían volcado su fuego contra el leve dril patriótico del rayadillo de los españoles. Uno de aquellos pingajos de rayas, insignias y

sangre era el padre de Ofelia.

—Las guerras ya se sabe.

—Eso.

Pero comprendí en seguida, allí sentados en la escalera, que Ofelia había tomado la decisión de ser puta desde el día en que vio a las putas en la estación. Era una señorita muy lista y madura, dentro de su aspecto infantil, y sabía bien que su padre, el pobre tapicero, iba ya como amortajado de rayadillo. Iba ya muerto.

—Pues te voy a presentar a la Formalita y a doña Nati.

Ofelia fue siempre igual, una chica alegre, saludable, que atendía a los clientes con naturalidad, sin vicio, pero sin cansancio. Le quitaron en seguida el luto y la vistieron de señorita de lámina, de niña bien, que era lo que le iba, y esto gustaba mucho a los viejos senadores de la ciudad que sospechaban estar beneficiándose a la hija de algún colega, sin querer enterarse mucho, por otra parte, para no tener cargos de conciencia. Ofelia y yo jugábamos en su cuarto o en el mío, o en el salón de abajo, cuando había poca gente.

A Ofelia le gustaban las adivinanzas, los colmos, el parchís y las poesías. Incluso pensamos casarnos, un día, y vivir de tapiceros en la calle de las Angustias:

—Yo te enseñaré el oficio de mi padre. Verás, es muy fácil. Lo sabemos toda la familia.

—¿Y si sabíais el oficio toda la familia, por qué no habéis seguido con el taller?

—En casa cada cual estaba deseando tirar por su lado.

Ya me veía de tapicero fino en la calle de las Angustias, con Ofelia regentando la industria y yo dando buenas palabras a los clientes, que algunos serían viejos conocidos de la casa de lenocinio.

—Pero para hacer nuestras cosas no vamos a esperar a estar casados.

—Pues claro que no.

Y subíamos a su habitación abuhardillada, que antes había sido la de Clara y antes la de Infanta, y allí se multiplicaba el desnudo desnutrido de nuestros cuerpos casi infantiles (no parecía que Ofelia tuviese veinte años, quizá mentía, había mentido para entrar en el negocio).

Era una habitación con espejos, cajas de hilos, santos antiguos, airones guerreros que habían dejado por allí los sucesivos triunfadores de la guerra y el sexo. Un cuarto que olía a las mujeres sucesivas que le habían ocupado, y este olor en capas se acrecía recalentado por el sol inmediato que estaba sobre el mismo techo en rampa.

—¿A ti te gusta que te hagan de todo?

—A mí de todo.

La Formalita y la doña Nati creían haber descubierto en mí un insospechado gancho para traer menores a la casa. Comerciaban con ellas que era un éxito, y tenían la buena mira de no mezclarlas mucho con las grandes veteranas, salvando así, intuitivamente, el misterio blanco y eterno de la prostituta virgen, que siempre se ha pagado mucho.

Tuve, pues, aquellas novias advenedizas en la vieja casa de putas.

—Sube tú primero a la habitación —me decía Ofelia—. Pero no te desnudes.

Le gustaba a ella desnudarme. Un día, también Ofelia se fue, para casarse con un hombre mayor, del gremio de su padre, con otro tapicero, y aquella noche, a solas, comprendí lo bobos y falsos que habían sido mis sueños de tapicero matrimonial y menestral en la calle de las Angustias. Yo no había nacido para eso. ¿Para qué había nacido yo?

A Lola de Oro nos la había traído la guerra de Franco, el Glorioso Alzamiento, la Cruzada. Lola de Oro era de Madrid y con ella venía, porque Lola era un poco folklórica, todo lo que Madrid tiene de capital andaluza, un enredo de colmaos, navajas y mulas que en Valladolid yo sólo había entrevisto en los cafés de los gitanos.

Como Lola de Oro era nacional, ante todo nacional, se había pasado a la zona de Franco, a Valladolid, con un guarda jurado de la Casa de Campo, que también era nacional, o más bien monárquico, y cuyo monarquismo se había recrudecido cuando Azaña, o la República, o quien fuera, abrió la Casa de Campo al pueblo de Madrid. Donato, que así se llamaba el guarda jurado, había vivido feliz mirando el alto, lejano y cercano Palacio de Oriente, sabiendo que allí vivían sus señoritos, como él decía, o sea sus monarcas, los monarcas de España.

Una vez se enamoró de la hija de otro guarda, llamada Francisca Sánchez, y que era como una lámina de «La Ilustración Española y Americana» caída entre la hierba de la Casa de Campo. Pero cuando más enamorado estaba, llegaron dos señores, dos poetas, dos intelectuales, uno manco, con barba blanca y ceceo, el otro oscuro, como indio, con nariz ancha y andares un poco torpes. Se llevaron a la niña.

Desde entonces, Donato estaba contra los intelectuales, porque sabía que eran peligrosos para la monarquía y para las hijas de los guardabosques, así que, declarada la guerra, se pasó a caballo a la zona nacional, y con él se trajo a Lola de Oro, famosilla ya en Madrid, en el mundo de la cupletería de cajas de cerillas.

Sin duda, Donato estaba seguro de que la zona nacional ya la habría limpiado Franco de intelectuales, y que iba a vivir muy feliz allí con su Lola de Oro, que ningún intelectual iba a quitársela, que eso no estaría permitido por el obispo. Todo esto es lo que me contaba Lola de Oro, a poco de llegada a la casa, mientras yo le faenaba agua para irse lavando las axilas, los pechos, la entrepierna, los pies, que Lola de Oro era como los chorros del oro (a eso le debía su nombre artístico.

—Pero yo me venía para acá dispuesta a ser la artista de los obispos o puta, y como parece que los obispos no me hacen mucho caso, pues aquí me tienes de puta, Francesillo, hijo, que también vaya un nombre el tuyo.

Donato debía estar trabajando en la guardia de Franco o algo así, y Lola de Oro era mujer de muchos hombres, de grandes clientes, porque ella daba alegría de verdad, estaba llena de alegría, tenía un pelo negro de jaca dura, unos ojos dramáticos y vivos de virgen canalla, un cuerpo moreno y fuerte de mujer popular. Lola de Oro cantaba todo el día, vivía en artista pero sin cursilerías ni ripios, me enseñó algunos cuplés muy bonitos, en fin, de antes de la guerra, como «Soldado de Nápoles», «El soldadito», «Flor de té», «Fumando espero», «La bien pagá», «Suspiros de España», y cosas así, que había oído yo a mis tías al piano, en sus tardes locas, y no me atreví a preguntar nunca cómo era que las señoritas y las putas cantaban los mismos cuplés verdes en España.

¿Sería que las señoritas eran un poco putas?

Todavía hoy no me atrevo a preguntarlo.

Lola de Oro era la risa, el esparaván, la alegría a todas horas, el taconeo, la juerga. De pronto, cuando todo el senado ilustre de los poetas estaba reunido en el salón de abajo, casi salón de lectura — de don José Zorrilla a don Leopoldo Cano —, Lola de Oro aparecía desnuda, en ligas y tacones finos de bailaora, y se marcaba un baile difícil y andaluz entre los próceres, sobre la espesa tarima:

—¡Viva España! — gritaba al final.

Volvía a subir corriendo por la escalera casi vertical que iba a las habitaciones, envuelta en las toquillas de su propia risa, y todas las glorias nacionales le miraban el culo poderoso y gimnástico, en huída, y algunos tenían los espejuelos o el monóculo colgantes de la cara al pecho, como una baba de cristal con una chispa de lujuria vieja.

Luna era el eterno retorno de lo judío en el tiempo, en la vida, en aquella casa. ¿Luna había venido por primera vez cuando la expulsión de los judíos por Isabel la Católica? Cada vez que en España o en el mundo había un movimiento antijudío, un éxodo, una emigración oscura, un jirón de raza desgarrándose de las otras razas, Luna aparecía en casa de la Formalita.

Con la Inquisición, con Franco, con Hitler, que ya empezaba a chillar en Europa, por la radio art-decó de la alcahueta del pasillo, Luna llegaba de nuevo, silenciosa y sonriente. Había oído yo hablar en la casa de una Luna remota, que quizás apareció por los mismos siglos oscuros que Sussona, la fermosa fembra. Esta primera judía había hecho casa aparte, casi palacio, al otro lado del patio-jardín, reservándose unas habitaciones espaciosas, claras y oscuras al mismo tiempo, un misterio de armas decorativas, sargas ligeras, joyas inexplicables y perfumes femeninos o flores desconocidas que cultivaba en tarros de cristal veteado. Cuando aparece un judío, ¿es el mismo judío o es otro judío el que reaparece? Quizá Luna era eterna.

Quizás a toda judía que había llegado a la casa, después de la primera, tan parecida a la primera, se la había llamado Luna mediante la inercia natural de todo clan, que en seguida quiere asimilarse el elemento extraño. No sé si con los moros de Franco, con los huídos de Hitler, con la requisa de la judería vallisoletana por los falangistas, Luna había emergido de su fondo de Lunas y un día la vi llegar, cobriza y bella, antigua y callada, profunda y leve, en su sarga cruda y ligera, en el pliegue volandero, más primaveral que mortuorio, de su túnica.

El misterio/mentira de Sussona, la fermosa fembra, se hacía un poco verdad en aquella aparición de Luna.

—A ti no te recordaba —me dijo Luna, posando en mi hombro una de sus manos oscuras, delgadas, llenas de inscripciones, lagartos y metales.

Su voz era profunda, dulce, casi cansada. Todo lo decía como entregando el alma en una última declaración de amor o muerte. Luna era mujer que daba prestigio y dinero a la casa, de modo que, en cuanto insinuó el capricho de tener un poco a su servicio al «pequeño cristiano» (yo seguía de monaguillo), le dejaron hacer, y crucé tras ella el patio-jardín, llevándole algunas sacas ligeras, hasta que llegamos a la arcada única de la que partía una escalera vieja. Luna empujó la puerta, entreabrió ventanas, se movió como una sombra blanca hasta tener las ropas, los perfumes y las joyas distribuidos y como suspensos en el aire.

No parecía que estuviésemos en casa de la Formalita.

Se lo dije:

—No parece que estemos en casa de la doña Formalita.

—Es que no estamos.

Me lo dijo de una forma que me dio un poco de miedo. ¿Sería una bruja? Pues claro. Era judía. Venía descalza y le lavé los pies en una jofaina. Pies de Cristo femenino, con un anillo en algún dedo, y su mano sobre mi cabeza inclinada, de vez en cuando, aquella mano oscura y delgada revolviéndome el pelo rubio, ario. Me avergoncé de no ser un poco judío:

—Soy demasiado blanco, demasiado rubio. Me lo decía mi abuela.

—Eres hermoso.

Tuve otro escalofrío. No me atreví a levantar la cabeza. Acaricié aquellos pies que eran como de arena finísima de todos los desiertos.

Luna se había recostado en su butaca y fumaba antiguas drogas de tribu en una larga boquilla de plata. Yo respiraba aquel humo perfumado y dulce que iba llenando ya toda la habitación. Luna me estuvo enseñando sus objetos, sus tapices, sus joyas, dándome a oler tarros y flores de un color morado distinto del crudo morado castellano.

Era como si las cosas se hubiesen ordenado solas, al llegar ella, o como si ella hubiera estado siempre allí. En días sucesivos, tuve que ir a puntos distantes de la ciudad para llevar mensajes de Luna, escritos en yiddish, a hombres misteriosos y riquísimos que vinieron a visitarla, que pasaron noches con ella. Me gustaba verla escribir su yiddish, sentada a un pequeño escritorio toledano, con la túnica por la cabeza, con pluma de pavo real rojo, como los del señor arzobispo, en un papel que olía a canela y a sexo. Era como si toda la vida hubiese estado enamorado de aquella profunda e intemporal mujer.

—Francesillo.
—Señora.
—Llámame Luna.
—Dígame, Luna.
—Mi cuerpo no vale nada, Francesillo. A los hombres no les doy nada porque el cuerpo no es de nadie. Ni siquiera mío. Sólo vale mi pensamiento, un cofre donde cada día encuentro cosas distintas. El cofre es mío.

A mí estos simbolismos orientales nunca me habían interesado mucho. Prefería mirar a Luna, tendida entre almohadones, con un hombro fuera, o una rodilla, yo de pie ante ella, distante. Prefería escuchar su voz sin entenderla, como verla dibujar su yiddish, que tampoco entendía, naturalmente. Aunque hablase cristiano, el yiddish estaba en su voz, lento, complicado, manso, nocturno, lunar, conmovido. Nunca sabía yo si había pasado horas o minutos en el cuarto-palacio de la hebrea Luna.

Luna tenía el pelo negro y fino, como pasado por aceites y peines de antes de Cristo. Luna tenía la frente noble y misteriosa, como un manuscrito desplegado e ilegible, como un códice que cambiaba cada día, como la huella de una escritura remota en un desierto que ya tampoco era el mismo. Luna tenía los ojos oscuros, negros, brillantes. Por aquellos ojos pasaba el tiempo en rebaños lucientes o cansados, y de pronto lo blanco de sus ojos rebordeaba lo negro por abajo, en dos medias lunas con las que parecía mirarme. Daba un poco de dulce miedo.

Luna tenía la nariz recta, perfecta, una nariz donde el judaísmo había sido corregido por no sé qué entrecruces, sangres o helenismos de su pasado familiar, complicadísimo. Luna tenía los labios gruesos, largos y rizados, porque los labios gruesos y cortos no se rizan, y eso les da bestialidad. Pero los largos labios de Luna eran una sonrisa vagando sobre unos dientes de loba, o una sombra de gesto de resignación (sólo una sombra de resignación, asimismo).

Luna tenía la calavera dibujada y fina, el cuello largo y un poco agónico, los miembros muy delicados y un algo masculinos, al mismo tiempo, los manos como dos candelabros de sangre azul y los senos levísimos, inconsútiles, sempiternos, apenas alzados, cada caídos, de rodela morada y pezón casi negro. Luna era una especie de Virgen primitiva, un icono pintado por un ruso judío, un icono que arreglaba su propia hornacina, ordenaba sus exvotos, distribuía su luz y su influencia y, sobre todo, los bálsamos lentísimos, ensoñantes, de su voz y su tocador.

No diré que me había enamorado de Luna. Diré, sencillamente, que había entrado en su mundo y que de su mundo no se podía salir. Cuando yo la observaba casi como había observado en tiempos las láminas de la Historia Sagrada, de pronto ella me sorprendía con un comentario muy actual, muy real, muy inmediato:

—Francesillo, cómo me gustó la caña de cerveza fresca que me subiste el otro día.

Y yo le bajaba a por otra caña de cerveza fresca.

En una tarde de agosto, muy naturalmente, me quitó los ropones de monaguillo, desnudó luego al niño de pantalón corto que iba debajo, me tendió en su lecho de flores difíciles y tejidos extraños, de un contacto nuevo para la piel de un castellano:

—Ya no eres tan niño, Francesillo.

A mí me habían crecido bastante las piernas bajo la sotanilla de monago. Ahora lo veía. Y además tenía una hermosa, fácil e insospechada erección. Cuando Luna se desnudó, atendí al juego de músculos y reflejos que era su cuerpo oscuro, a la ligación de masas y sombras que era toda ella, como un pequeño atleta femenino de una raza ya extinta. Se tendió sobre mí en la cama, se deslizó sobre mí. Yo cerré los ojos y recorrí su piel con mis manos. Era una piel como esa fina película que se intercala entre lámina y lámina, en las ediciones lujosas de la Biblia.

Una piel peligrosamente suave, que yo podía romper, que yo no podía romper. Una piel que no había tocado jamás en las putas de la casa, viejas o niñas, blancas u oscuras. La piel gastadísima y tersa de una raza que se ha restregado el alma, durante siglos, con la arena blanca de los oasis.

Luna mordió mis diminutos pezones hasta hacerme daño. Empuñó mis testículos, con su mano de anillos, mano de reina antigua, como si fuera a arrancármelos, y luego se posesionó de mi erección con la boca, con el sexo, con el recto, hasta entrar ella en un orgasmo largo, interminable, delirante, lleno de idiomas y amenazas. Un orgasmo que parecía recorrer, trepidante, todo el Antiguo Testamento.

—¡Fascistas!

El grito que yo le había pegado una tarde a don Doménico, sin saber muy bien lo que decía, era el grito que le daban ahora a José Antonio Primo de Rivera, desde un tejado de la calle de las Angustias, un cuatro de marzo, que había ido a la ciudad para un acto fundacional falangista en el teatro Calderón, rodeado de sus fieles y alter egos, Onésimo, Girón y otros. Como supiera que había pacos en los tejados, movimiento obrero contra él, en la ciudad, Primo de Rivera había ido desde el Hotel Inglaterra (nombre que en seguida iba a resultar inconveniente, y que se varió según los reveses de la Historia) hasta el teatro Calderón, en la calle de las Angustias, a pie y remangado, con pistolas visibles y un claro desafío en el rostro.

Cuando la comitiva falangista bajaba por la calle de las Angustias, hacia el teatro, el entierro de mi abuelo subía por la misma calle, para desviarse hacia la iglesia de la Antigua, donde se despediría el duelo, a la sombra de la gentil torre románica.

En la presidencia del entierro, Giner de los Ríos, toda la Institución Libre de Enseñanza, el arbitrista Cellorigo, Joaquín Costa, Lucas Mallada, los krausistas vallisoletanos y el propio Krause, el gran filósofo alemán, venido a Valladolid para el sepelio en un coche-cama de los Grandes Expresos Europeos. Delante de todos ellos iba yo, niño de melena rubia, mitad paje, mitad príncipe, con un pañuelo blanco atado bajo el cuello de almidón, todo de terciopelos negros y entallados, muy en mi papel de nieto inconsolable y niño sabio.

—¡Fascistas!

Yo había visto ir muriendo a mi abuelo, lo tengo contado aquí, había visto la llaga de su costado, aquella boca de pez que se le abría cada vez más, aquella agalla por donde se iba desangrando. Yo estaba ya hecho a la muerte de mi abuelo, y me sentía el presidente de todos aquellos señores de Krause a Giner de los Ríos, a quienes había visto en la caseta de consumero municipal de mi abuelo, discutiendo los males de la patria o agrupados en torno de un mulero con sus mulas y mercancías, para observarlo bien, llenos de un naturalismo moral, mientras mi abuelo metía y sacaba el pincho en las sacas oscuras del mulero.

Por otra parte, yo sabía que a mi abuelo podría recuperarle siempre en el Cristo yacente de Gregorio Fernández, en su capilla de la parroquia, con la misma agalla mística en el costado desnudo, como podría siempre recuperarme a mí mismo en los cuadros tenebristas de la sacristía de San Miguel. Éramos la mitología y el martirologio del barrio.

—¡Fascistas!

Pero el teatro Calderón, el hermoso teatro Calderón — «en Madrid no lo hay igual» — adonde me habían llevado alguna tarde de Comedia del Arte, adonde habían ido mis padres tantas noches, en los primeros tiempos de su matrimonio y los últimos tiempos de la ópera. El teatro Calderón, rojo y circular, afelpado e iluminado, como un infierno amable, confortable, para pecar y purgar los pecados al mismo tiempo.

El teatro Calderón, por el que había pasado el bosque transeúnte de Shakespeare, la teología con máscara del clásico que daba nombre al teatro, la esbeltez de Parsifal y el oro femenino de Isolda, el teatro Calderón, por el que habían pasado los velos de la música, una tormenta de velos en la que se debatían Beethoven, Mozart, Bach, Chopin, todos románticos y pálidos, amortajados en sus pianos, dejando un rastro de orquestas y tuberculosis. El teatro Calderón, el recinto altísimo y pintado al fresco de la cultura local, de la cultura universal, el hueco inmenso, la gruta celeste, el astro marítimo en que yo había descubierto que la voz de la poesía, la palabra literaria, podían tener majestad y realidad sobre los hombres, el teatro Calderón iba a ser teatro de una falsísima representación de militares apócrifos y obreros apócrifos, todos de acuerdo, según había yo oído comentar en los velatorios del abuelo, para instaurar una idea confusa, injusta y rencorosa, belicosa y cursi, sobre el planeta armonioso de nuestra ciudad, sobre la relojería intelectual del relojero alemán Krause, sobre el sistema natural y giratorio del mundo.

—¡Fascistas!

Y se cruzaron unos disparos, y la primera línea de falangistas chocó con la primera línea de civiles del entierro, y los caballos de Judas (un Judas a la federica, tieso y cínico) se encabritaron sobre aquellos pistoleros azules, que les daban con porras a los enlutados krausistas, mientras éstos les daban con sus bastones y paraguas a los otros.

Había otra batalla, a tiros, entre la calle y los tejados, y los obreros y artesanos del barrio estuvieron pronto luchando contra los primorriveristas, en torno de la carroza negra, inmóvil, en torno de los caballos que se erguían por motivos casi estéticos, en torno de mi abuelo muerto en su féretro sólido, forrado, ferrado, claveteado. Mi abuelo había soñado conciliar el cielo del Evangelio con el cielo terrestre de Giner de los Ríos, y su entierro era una catástrofe de cielos, un fracaso de teologías que vino a disolver, apaciguar y reordenar la Guardia de Asalto a caballo.

En el entierro de mi abuelo comprendí que había

comenzado la guerra civil. El cementerio de Valladolid era grande, y los enormes panteones familiares, altos y ominosos, eran como palomares de los ángeles. Más ángeles de piedra, cobre o mármol venían a posarse a la cruz del rico que a la cruz del pobre, donde sólo enredaba el viento unas cintas moradas o unos rastrojos. El gran cielo de aquel cuatro de marzo, ventoso y lleno de desgarraduras, soltaba bandadas de arcángeles, tronos y dominaciones por sobre las tumbas panteónicas, y estuve mirando un ángel de piedra blanca, erguido, poco piadoso, que había en el panteón familiar, y que sin duda había nacido, en el taller del escultor, frente al modelo vivo de una chica guapa.

El viento llenaba los cipreses de un alma que no tienen, los latines de los curas eran como una plaga molesta de moscas de oro y plata falsos que había que soportar por cortesía, pero que se adherían a la cara o mosconeaban junto a la oreja. Los filósofos, los pensadores, los políticos, la gente de mi familia, el llanto de los criados, siempre un poco vengativo en su exceso, y aquella labor de los sepultureros, como de estar cavando una viña. En aquel hoyo se pudrían las generaciones oscuras y remotas de mi familia, aunque algunos de los familiares más brillantes luciesen aún, como yo mismo, en el oro de los cuadros religiosos de San Miguel. Después de mi abuelo, mi abuela, pensé, como antes mi bisabuelo, mi bisabuela, después mis padres, o yo mismo, eso, yo mismo, quiero estar aquí tendido, con ese ángel blanco, que parece una chica, siempre a mi lado, como cuando me operaron de las amígdalas y tuve una enfermera. El duelo se iba desflecando en pésames, distancias, guantes perdidos, todavía el vuelo de una chistera, nada.

Tuve el capricho de volver a Valladolid con Judas, en la carroza fúnebre, sentado en el pescante, junto a él. Judas se había ladeado su sombrero de embajador antiguo, tenía cara de tonelero borracho y un mirar suspicaz que le venía, seguramente, del mero hecho de llamarse Judas.

—Movido que ha estado el entierro del abuelito,

niño.

Yo miraba los dos caballos, blancos y negros, blancos a ratos, negros a ratos, moteados de luz y sombra, sus cuerpos esbeltos y poderosos, sus cuellos largos, las crines flotantes como la espuma natural de su navegación, las orejas erguidas y diminutas, casi infantiles para aquellos atlantes.

—Y valiente que ha estado el niño en la pelea.

—Gracias, Judas.

Los demás volvían en automóviles negros. Algunos automóviles me saludaban tocando la bocina, al adelantarnos. El entierro del abuelo se iba volviendo así una fiesta, como todos los entierros. Me había dicho don Doménico que hay religiones en que la muerte es una fiesta desde el primer día. En mí mismo sentía una euforia de crecer y luchar, que es la euforia que da la muerte a los vivos.

—Y que esos falangistas se están haciendo los dueños de la ciudad, Paquito.

Yo sentía que retornaba de una batalla, más que de un entierro. Bien, pensé, he enterrado a mis mayores: ahora hay que luchar contra lo que venga. El abuelo, que tan poco ruido hacía en la familia, había sido, con el quebrarse de su rama, el principio de un derrumbe total y sin remedio. Los caballos cada vez corrían más, o quizá corrían menos. En tono caso, yo estaba ya borracho de velocidad.

Y unos intrusos disfrazados y violentos, unos malos imitadores de los fascistas que yo había visto en los documentales, antes de la película de Shirley Temple, estaban a aquella hora mascullando su amenaza al futuro en el teatro Calderón, ante una platea de falsos agricultores engañados. Entré en Valladolid, sobre mi carroza fúnebre, con el rostro azotado por el viento y por mi propio flequillo, como dispuesto a conquistarla. Judas dijo que, si no me importaba, íbamos a parar en una taberna de San Martín o de Santa Clara a tomar un poco de vino, un campano.

—Si no te importa, Paquito, antes de dejarte en tu casa, tomamos aquí un campano.

Y con el delicado gorro de diplomático en su mano de tonelero, me guiñó innecesariamente un ojo. Con aquel guiño, pensé, el abuelo estaba definitivamente muerto para el mundo. Yo también tomé el campano, que era inmenso, pero eso hacía hombre.

Con la muerte de mi abuelo, el estallido de la guerra y la enfermedad de mi madre, aquel año adelantamos la ida a los pinares. No fue ya un verano como los otros. Entre otras cosas, porque mi padre estaba ya luchando en la defensa de Madrid.

Cuando volvimos de los pinares, también anticipadamente, a primeros de septiembre, encontramos que la casa/palacio había sido ocupada por el ejército:

—¿Por qué ejército, abuela?

—Por todos los ejércitos, hijo.

Mi madre se internó en un sanatorio, mis tías se dispersaron por las casas de sus amistades. Mi abuela y yo volvimos un día y otro a la casa. El primer patio, por el que yo había visto pasar al Caballero del Verde Gabán, a Azorín, a Galdós, a la Pardo Bazán, había sido ocupado por los generales carlistas que, distribuídos entre las tumbonas y los tresillos de mimbre, jugaban a las cartas, bebían buen vino castellano, consultaban mapas de guerra o, sencillamente, dormían profundas siestas congestivas a cualquier hora del día. Pasé y paseé entre ellos.

El patio verde ya no era el patio verde, silencioso de fuentes y palmeras. Había en él un hedor cuartelero a machos acumulados y cuero de botas y correajes. En el aire del patio, a la altura del primer piso, el humo de los habanos había formado una nube azul, sucia, quieta, que era lo que todos respiraban.

Apenas reparaban en mí, en aquel niño solitario y rubio, los militares carlistas. Tenían los sables contra las columnas, las guerreras desabrochadas, los pistolones sobre las finas mesas del refrigerio. Recordé los versos de Espronceda que le había oído recitar más de una vez a don José Zorrilla:

Sin chales en los pechos
y flojo el cinturón.

Hetairas u odaliscas, más que generales, parecían aquellos carlistas abandonados a la molicie del patio, las delicias de la invasión y el duro y fino vino castellano, nuevo para ellos. La guerra carlista iba bien y aquella avanzadilla se había situado en Valladolid. Vi a un militar orinando en la fuente central. Las otras, no sé por qué, se habían cegado. La cara de piedra y agua que yo había sido, espiando la presencia intemporal del Caballero del Verde Gabán, un día, era ahora apenas una cara, un bulto de arenisca borrado a patadas. Había alguna bandera extendida, que a mí no me decía nada, y todos repetían mucho en sus comentarios, con enigma, el nombre de Franco.

Las criadas de la casa, entre las que distinguí en seguida a Inocencia y Ubalda, traían continuamente nuevas botellas a los invictos inquilinos. Un coronel se había quitado una bota y todo abrigo del pie. Lucía un glorioso callo. Con una cuchilla, en lugar de suprimir o perfeccionarse el callo, se dedicaba a hacer el agujero correspondiente en la bota para que el callo asomase y respirase.

En el segundo patio estaban los héroes de Cuba, Filipinas y África. Otras tres guerras que iba sosteniendo Franco. Oficiales de rayadillo, oficiales que se habían dejado el bigote lacio de los filipinos, por ese mimetismo del vencedor hacia el vencido, oficiales ya estofados totalmente por el desierto, hechos de viento y sangre, de arena y hambre, de sol y pólvora. Andaban todos mezclados, los de las tres guerras, aunque en un segundo y prudencial paseo, pegado a las tapias del patio, pude comprobar que, naturalmente, cada cual se agrupaba con los suyos. Leían periódicos; uno muy amarillo, seguramente enfermo, leía un libro.

Había un rincón para enfermos convalecientes que estaban sentados en sus camillas, dejando que la sangre negra de las heridas se les secase al sol. Algunos perros iban y venían entre ellos. Criadas de la casa, señoritas bien de la ciudad, médicos militares les atendían. Los irrecuperables, los moribundos, pensé con espanto, debían estar en las habitaciones de la casa, por los pasillos, en el salón, llenando de muerte y cloroformo toda mi vida.

Esta idea de mi casa convertida en hospital fue demasiado intensa y tuve que sentarme en el suelo, medio mareado. El segundo patio, ocupado por héroes de tres guerras, era naturalmente más promiscuo, alegre, vivo, joven y comunicativo que el primero. Pero no menos nauseabundo. El cielo entraba de lleno en él, pero se mezclaba en seguida, blandamente, al humo de los cigarros, la halitosis de los enfermos, el bostezo de los oficiales, el brillo sucio de los naipes y la tez amarilla o cobriza de tanto hombre semidesnudo.

La ventana de las costureras sólo era un hueco negro, sin maderas ni cristales. ¿Qué habría dentro? Una gallina gorda iba y venía entre los soldados, recibiendo patadas y sustos, casi como una puta. Unos la metían un dedo en el culo, para ver si tenía huevo, y otros hablaban directamente de fornicar con ella. Era una de las gallinas del señor Juan, la reconocí — ¿dónde estaría el señor Juan? — y sentí el mismo dolor que si, en lugar de una gallina, al señor Juan se le hubiese prostituído una hija.

En el tercer patio estaban los héroes de Franco en la guerra civil del treinta y seis, los más recientemente incorporados a la eterna guerra civil de España, que es una fiesta que ninguna generación debe perderse. Moros, regulares, legionarios, falangistas, estampillados, alemanes, italianos, flechas, pelayos. Los moros hacían su música de latón y mística, los regulares babeaban una especie de flamenco ininteligible, los legionarios cantaban jotas con una guitarra llena de mujeres pintadas, los falangistas, sentados en corro en el suelo, entonaban a media voz himnos alemanes sin saber alemán, y los italianos, los flechas y los pelayos jugaban al balón.

En aquel patio musical y ardiente, que había sido el estadio último de mi alma, lugar de las meditaciones y las masturbaciones, comprendí, al ver el mundo tan rebosado de gentes, que aquella no era sólo una guerra de ricos contra pobres, sino también una guerra de listos contra imbéciles, de cultos contra ignorantes, de intelectuales contra señoritos ecuestres. Nos había tocado del lado de los intelectuales masacrados. Una de las veces visité el patio con mi abuela, y entonces se nos acercó un personaje de pelo joseantoniano, gafas desajustadas, mentón también como desajustado, uniforme confuso que no era identificable con ningún ejército en concreto, y medias botas que se despegaban de sus piernas sin ninguna gracia militar:

—Por favor, señora, cuánto honor, mi gran dama, por aquí, señora, la esperábamos, ¿comprende?

Y besó la mano a mi abuela. A mí me pasó la suya, vagamente, por el largo pelo.

—Naturalmente, hemos pensado en ustedes, todo esto es transitorio, ya sabe, la guerra, Clavijo, Santiago, Cuba, África, la Perla del Caribe, Franco, Filipinas, la conspiración judeomasónica, en fin, las eternas causas de España. Pero ustedes tendrán sus habitaciones.

Nos llevó al segundo patio, siempre entre taconazos y saludos militar-imperiales, y nos metió por una puerta en el cuarto de las costureras, que habían huido con todo, por lo que pude ver, hacia la libertad, hacia la prostitución o hacia la muerte. El empapelado de las paredes, muy años treinta, estaba arrancado como por las garras de un tigre puesto en pie. Apenas quedaba una lámpara de tulipa, sin luz, una cama de hierro, sin ropa, y una máquina de coser, la vieja singer de las costureras, que adquiría allí, en su abandono, calidad de arpa, casi, del salón en el ángulo oscuro. Olía a ausencia, a humedad y a mujer muerta:

—Aquí podrán acomodarse mientras esto pasa.

Nuestro hombre era siempre redicho, rico en palabras y ademanes, entre agresivo e inseguro. Llevaba un desbaratado bigote negro y largo sobre la boca sin energía. No preguntó por el resto de la familia. Allí podríamos tendernos mi abuela y yo, a morir en la sombra. Pero ¿y si hubiéramos venido todo el clan?

—Me han dicho que eres un niño muy listo y soñador.

La mano estaba otra vez sobre mi cabeza, como calmándome una jaqueca que yo no tenía. Innecesaria mano.

—Toma, yo soy escritor.

Y sacó de un zurrón de campaña que llevaba con él, entre cananas y cartucheras, un cuaderno impreso, con dibujo en la portada, que me entregó. Cuando nos dejó solos, me senté en la cama para mirar aquello: «Ernesto Giménez-Caballero. Valladolid, la ciudad más romántica de España.» Había una viñeta y, dentro, una osada sucesión de síntesis históricas caprichosas, un barullo (que se pretendía lírico) entre lo racional y lo irracional, entre lo geográfico y lo hagiográfico, siempre con un uso inesperado de las versales. La conclusión que saqué era algo que ya sabía: que Valladolid era una ciudad muy polvorienta. Que el viento llevaba y traía el polvo por la ciudad.

Don Ernesto Giménez-Caballero se había ido no sin antes besarle de nuevo la mano a mi abuela. Ahora llamaban a la puerta. Abrí de golpe. Un ser aquijotado, profuso de fusiles, confuso de uniformes, estaba en el dintel. En esta guerra parece que cada uno se inventa su uniforme, pensé, y se concede sus propias condecoraciones a sí mismo. Era don Doménico, armado caballero de la Cruzada y con un papel en la mano:

—Ah, por fin les encuentro en casa...

—¿En casa, dice? — sonó la voz de mi abuela, por encima y por detrás de mí, con un temblor mezclado de indignación y edad.

—Verán, y perdonen si soy inoportuno, el que ustedes decidieran adelantar este año el veraneo es algo que no me concierne. Quiero decir, para que me entiendan, que mis clases al niño las considero como dadas y vengo a cobrarlas.

—No decidimos adelantar nosotros el veraneo. Decidieron ustedes empezar una guerra — decía la voz de mi abuela, siempre por encima de mí —. Por cierto, ya veo que le han militarizado.

Don Doménico se contempló un instante a sí mismo, echando un pie hacia atrás, sin duda complacido y creyendo en nuestra complacencia:

—O quizá se ha militarizado usted mismo.

—Señora...

Don Doménico, mi pseudopreceptor, se cuadró vagamente y puso la expresión digna del nuevo estilo bélico.

—Y ahora, puesto que tiene esos pistolones, pretende cobrarnos las clases que no le ha dado al niño.

—No son pistolones. Son las armas gloriosas que me invisten y que...

—¡Fascista! — le grité, como la otra vez, sabiendo ahora lo que decía, y cerré la puerta contra él, con las dos manos.

Mi abuela me había dado dinero para ir a la tienda de la señora Landelina a comprar algunas cosas con que comer ella y yo. En la calle, los chicos de mi barrio, como todos los días, como toda la vida, acechaban la salida de las colegialas de las teresianas para caer sobre ellas, robarles los lazos y azotarles un poco el culo, llenos de la lujuria sadoanal del niño. Pero en el número 10 de mi calle hervía el cuartel general de los jóvenes falangistas, de los cadetes, que habían caído sobre los otros — chicos de portería, hijos de obreros, chicos del Instituto —, y hacían su Cruzada Nacional salvando a las angelicales teresianas de la garra sucia e infantil del pueblo.

Era una pelea callejera en la que se confundían las ropas grises, marrones, negras — había entonces muchos niños enlutados — de la banda de la calle, con el azul uniformado y las boinas rojas de los flechas y cadetes, todo dramatizado por el brillo de los machetes que a aquellos chicos entregaba la Falange. Caí sobre la confusión de golfos/falangistas/teresianas, luché furiosamente contra los chicos vestidos de azul, arrojé algunos machetes por las alcantarillas, mordí el pelo, la crencha jovencísima de alguna niña, y al final, idas ellas, privados nosotros del objeto de nuestra Cruzada, nos fuimos dispersando, deshilachando, y mis terciopelos estaban ajados y uno de los machetes me había rasgado superficialmente una mejilla.

La banda de la calle eran Hernando Hernando, Germán, Gonzalito, Iñaqui, Carlos «Caga», Dupont y otros. Me los llevé a todos a la tienda de la señora Landelina, que nos dejó pasar a la bodega, como que nos conocía mucho a todos y respetaba a mi familia. Allí les convidé a castañas pilongas, gigantea, estoposo y dulcísimo regaliz de palo, algarrobas de caballos y pastillas de leche de burra, que eran los alimentos terrestres de la banda y del otro Paquito, el otro yo, el que golfeaba por los solares mientras alguien parecido a él leía la *Divina Comedia* al costado de una Greta Garbo que olía extrañamente como mi madre.

Les expliqué lo que pasaba, estábamos en guerra, a los chicos del Instituto les hice comprender que, si Franco ganaba, nos iban a meter a todos en colegios de curas. Los flechas y los cadetes se estaban apoderando de la ciudad, de los dos ríos, el Esgueva y el Pisuerga, porque mi ciudad tiene dos ríos, uno de derechas y otro de izquierdas, de modo que había que dividir los campos a partir del Esgueva, que era el de las barriadas obreras de Santa Clara, San Juan, la Pilarica, los Pajarillos, San Martín, hasta el cementerio, y contraatacar.

Llevaban meses en sus casas oyendo hablar con odio y temor de aquellos falangistas, de aquellos niños y adolescentes que lucían armas, alborotaban el barrio a cualquier hora y llamaban rojos a los niños tontos, infelices, a los niños de baba que estaban todo el día a la puerta de su casa, en sillita de mimbre, tomando el sol y viendo pasar entierros, que eran su gran fiesta.

La guerra quedaba declarada y los campos delimitados. Hasta probamos un poco del vino de la Landelina, de garrafón, entre gatos que orinaban las legumbres y bajo un artesonado de jamones, bacalaos y longanizas. Una luz de sótano y conspiración entraba por el ventanuco a ras de la calle. Hernando Hernando era el más valiente. Germán, el más astuto. Iñaqui, el más idealista. Dupont, el más reservado y culto. Pagué todo y le llevé a mi abuela una botella del mejor anís (el Mono que ella bebía con doña Emilia) y unas tortas muy finas que le gustaba mojar en el té.

¿Pero íbamos a tener té, no se había acabado para nosotros el mundo del té?

FUERON noches de ir ahondando hacia aquel fondo proletarial y vallisoletano: Santa Clara, la Magdalena, San Juan, la Pilarica, los Pajarillos. Y el encuentro nocturno con el cabecilla de cada barrio, de cada banda, la cadena de manos menudas y amistosas, manos como garras cordiales que fosforecían un momento en la noche del Esgueva.

Isidorín, borroso, supurante y eficaz; Paco, brutal y renegro, infalible con la piedra (mano y honda), Vela, de mandíbula ancha y boca larga, lento, burlón y capaz de todo; Lázaro, sinuoso, hábil, soñador, minuciosamente perverso; Eusebio, carpintero niño como Cristo, alto y rubio, firme y dispuesto; Matos, hosco y de pocas palabras, sucio y cuatrero, con calcetines de rayas; Salviejo, grueso y facundo, masturbador y fuerte, con calcetines de rombos y zapatillas desastrosas.

Fueron noches de ir entrando en la tribu, en la teoría de tribus de los barrios, en la referencia última y presentida de la ciudad, llena de perros, cuchillos y gitanos. El niño que en mí había vivido aquella vida, u otra paralela, se reconocía en todo aquello tan oscuro y tan nuevo, conspiración de chicos en voz baja, para que no nos oyesen los muertos paredaños del cementerio. Los mayores estaban haciendo su guerra y nosotros necesitábamos hacer la nuestra.

Hasta que los flechas, los cadetes, los delfines del dinero clerical de la ciudad, cayeron sobre nosotros por sorpresa, cuando nos bañábamos en calzoncillos en el Esgueva, y hubo una lucha de cuerpos obreros, entecos, casi infantiles, contra las porras y los machetes de los asaltantes. Entreluces de puñal y luna miniaban la reyerta contra el susto del agua, hasta que los mastines de un huerto cercano se desataron contra los invasores, por raro instinto de los perros, y esto, ayudado de las piedras certeras de Paco, que había hecho arsenal de la cantera de un marmolista (había muchos camino del cementerio), puso en fuga a nuestros enemigos. Matos, deshilado en sangre, se ahogaba o se dormía, feliz, en la corriente lenta del Esgueva, y Paco, duro y salvaje, devolvía los perros a la huerta, saltando entre ellos, saltando ellos entre él, alegremente, a la luz cementerial de una luna que no había.

Su río era el Pisuerga y allá fuimos. En la otra orilla se veía la fogata, el fuego de campamento falangista, aquella manera que tenían de pasar la noche, imitada de la mitología forestal de los alemanes.

Cruzamos el río silenciosamente, en las barcas abandonadas de la Oliva, como en un desembarco de Normandía que aún no había ocurrido en la Historia, porque el Puente Mayor y el Colgante estaban lejos. Alguno cruzó el río a nado. Los quiebros de la arboleda les dieron el aviso. Cesaron sus himnos y sus armónicas de un sentimentalismo de parroquia. Nos lanzamos al fuego como acabábamos de lanzarnos al agua.

El Pisuerga, ancho y negro, lameteaba el costado de las barcas, el dolor de los heridos, la sangre de los cielos, las orillas de la luna.

De pronto un cuerpo astral, un astro entero, algo, Saturno o Júpiter, se estrelló contra mi oreja derecha. Me llené por dentro de fuego y zumbido. Un bosque en llamas giraba en torno de mí. Quise caer al agua para que toda la profundidad del río, todo su curso, me entrase su frescor por el oído al rojo, pero no había río. Sólo un color de fuego visto con la oreja, no con los ojos, y un dolor de piedra que parecía dolerle al mundo, repentinamente diurno, que parecía doler, sí, fuera de mí. Cuando todo yo volví a mis ojos, estaba en el embarcadero de la Oliva, tendido en una barca, y lo primero pensé que me habían dado en la oreja enferma que Rosa me curara con su leche. La barca estaba a medias sobre la arena y algunos compañeros en torno de mí. Se fueron yendo. En la otra orilla ya no se veía fuego. «Han venido los bomberos. Duerme un rato», me dijo Hernando Hernando. La barca, con la quilla en la luna, se mecía apenas en el agua. Las estrellas ladraban como perros del cielo. Un frescor de río profundo y madrugada me aliviaba la enardecida camisa. La Oliva, medio gitana, medio fluvial, me despertó a la mañana con el beso del sol.

Mi abuela, en el chiscón de las modistas, inclinaba su edad sobre la máquina singer, cosía y cosía, en un pedaleo lento, constante y desesperanzado, trapos y trapos, trapos a trapos, trapos a más trapos.

Había pegoteado el papel de las paredes, había tendido un incoherente mantón de manila sobre la cama, había colgado algunas fotos familiares por los rincones. ¿Qué cosía mi abuela? Hacía, quizá, la costura interminable que quería prender el pasado al presente, o el pasado al futuro. Hilvanaba ropas chapadas, en el taller vacío de las costureras, como persistiendo, con aquella tarea femenina, tenaz e inferior, en su condición de hembra fuerte de otro tiempo.

Al lado, en el tablero de la máquina, tenía una copita de anís que yo le había llevado, o una taza con el té que les había pedido a los generales carlistas. Mi abuelo muerto, mi abuela convertida en aquella sombra pedaleante y silenciosa, mi madre en un sanatorio de León, mi padre perdido en la defensa de Madrid, mis tías dispersas. Yo, echado en la cama, sobre el mantón de Manila, pensando en la mitológica noche del Pisuerga. Mi abuela dejó de coser y se envolvió en un echarpe:

—Ven, nieto.

Salimos al primer patio, donde un ejército en paro se despiojaba al sol:

—Señor general, necesito un tílburi para llevar a

mi nieto al colegio.

Los ejércitos inquilinos de la casa nos habían requisado también los tílburis, naturalmente. Me enteré, al mismo tiempo, de que mi abuela había decidido meterme en un colegio.

El general, o lo que fuese, tenía la calva gratamente tostada, el bigote tinto en desayuno, la sonrisa piorreica y el uniforme un poco desvencijado:

—Veremos, señora, pero eso debe ser cosa del otro ejército...

—¿Qué ejército? Los tílburis son míos. Ustedes han invadido esta casa. Sólo pido un tílburi con un caballo, por un rato, para llevar a mi nieto al colegio, que está lejos.

El general, o lo que fuese, pasó una mano de pólvora por su calva soleada, se relamió el desayuno del bigote, como un gato viejo, hizo un vago ademán de abotonarse un poco el uniforme y llamó a un subalterno, un soldado que hablaba con acento pamplonica:

—Trae recado de escribir, que te voy a dictar oficio para los de Cuba.

El general, o lo que fuese, no nos mandó sentar. Encendió un puro, tosió, escupió, gargajeó, cumplió todos los broncos ritos del despertar viril y, cuando el soldado estuvo dispuesto, sentado a una mesa de aquéllas que iban perdiendo el color de nuestra casa, de nuestro patio, empezó a dictarle un oficio, con mucha ida y venida, paseo, vuelta y revuelta, soplidos al puro, soplidos al humo del puro en el aire, sonrisas a mi abuela que no querían decir nada, sino que estaba pensando, y prosa de oficina militar.

Se trataba, más o menos, de pedirle a otro general, a un general de la guerra de Cuba, o sea del segundo patio («eso es en Cuba», decían ya, para indicar algo referente al otro patio) el préstamo de un tílburi para la anciana propietaria de la casa, del palacio, de los tílburis, de los caballos, de todo y de nada.

—Con un conductor, supongo, señora...

—Mis caballos los conduzco yo.

Mi abuela se embozaba en el echarpe y tenía las manos escondidas en las mangas, como los monjes, supuse que para que no se las besasen aquellos generalotes.

—Sin conductor, Echániz. Rectifique, sin conductor.

Y fumaba congestivamente el puro del esfuerzo intelectual. Nos entregó el papel con un taconazo.

En el segundo patio teníamos que buscar a un general de la guerra de Cuba, que nos pasó a un héroe de África, y éste, a su vez, a un mítico militar de los últimos de Filipinas. El de Cuba se había hecho una hamaca en el segundo patio. El de África explicaba la sexualidad de las negras a un grupo de soldados. El de Filipinas parecía un filipino, estaba picado de todas las enfermedades orientales y nos devolvió al de Cuba. A mí todo aquel trajín burocrático me resbalaba como un sueño, porque me tenía perplejo, asustado y como desrealizado la inminencia de entrar en un colegio. El cubano leyó el papel en su tumbona. El cubano tenía pelo blanco y rizado, el cubano fumaba puritos muy delgados, el cubano tenía todo su mundo en torno de la hamaca: mapas, periódicos, naipes, libros, cigarros, botellas, pistolas, medallas militares y medallas religiosas.

En realidad, parecía un chamarilero camastrón que tuviera todo aquello en venta. El cubano tenía distinción como de buena familia madrileña, pero quizá el trópico le había envilecido un poco:

—Esto es cosa de los nacionales, señora.

Se puso en pie, hizo una reverencia, nos devolvió el papel y nos indicó el camino del tercer patio, como si no estuviéramos en nuestra casa. Pasamos al tercer patio entre una guardia de falangistas en posición de firmes y moros en cuclillas.

En el tercer patio o zona nacional, los ejércitos se fueron pasando de unos a otros el papel, el oficio, de estampillado indeciso a falangista altanero, de requeté iletrado a moro sonriente e inexpresivo, de italiano que se afeitaba al aire libre a soldado raso que buscaba un sargento a quien entregar aquel documento en llamas, que tal parecía, y que todos se pasaban como con miedo de quemarse y premura de que la papela no se quemase. No vi por allí a Giménez-Caballero.

Al fin, un incoherente sargento de carabineros se nos acercó, con el oficio en la mano:

—¿Y para qué quieren el tílburi, señora?

—Ahí lo dice el documento.

—Es que no lo he leído.

—¿Quiere que se lo lea yo?

—No soy analfabeto, señora.

—Pero es que ese papel no sirve para nada si no se lee. Es sólo un papel.

La austera ironía de mi abuela era cosa que no penetraba la humareda del profuso cigarro del carabinero, que parecía ir deletreando para sí mismo el oficio:

—Esto, quizá —concluyó— tendría que sellarlo el Generalísimo.

—¿No bastaría con el obispo? —sugirió mi abuela.

—Estamos en guerra, señora.

Y el hombre hizo un amago de cuadrarse.

—Es sólo uno de mis tílburis, que me los han requisado, para llevar el niño al colegio.

—O sea que lo necesita a diario. Imposible. Quizá el Generalísimo, ya digo...

—No. El niño se queda en el colegio.

—En ese caso, señora. ¡Crescencio!

Crescencio era una especie de mozo de cuadra. Le seguimos de vuelta por los tres patios, a través de los varios ejércitos, de las múltiples guerras de España, que tenían allí su retaguardia camastrona.

Crescencio había hablado con otro. Ya desde el portal vimos el tílburi en la calle, delante de la puerta. Era el viejo tílburi de pasear por los pinares, de llevar y traer a doña Emilia, de ir a buscar al abuelo al Fielato, cuando el reúma no le permitía andar demasiado. El caballo, en cambio, era un caballo militar. Crescencio iba a ocupar el asiento del conductor:

—Voy a llevarlo yo misma.

—No sé si eso podrá ser. Yo no sé si es legal, señora.

Crescencio estaba con un pie en el pescante y vuelto hacia nosotros.

—Lo especifica en el oficio.

—El oficio está ya en Contaduría.

—Puede usted ir a mirarlo.

—Voy.

En cuanto Crescencio entró en el gran portal, mi abuela y yo subimos al tílburi. El soldado que mantenía al caballo de la brida, se hizo a un lado. Salimos corriendo. Era aquél un caballo que iba gustoso, y mi abuela, con las riendas en la mano, no parecía la anciana inclinada de la máquina sínger. Yo, a su lado, veía pasar mi ciudad, las acacias de San Miguel, las extensiones de la Antigua, los jardines de la Universidad, la confusión de los mercados, la irreal lentitud de las gentes (cuando se viaja a otro ritmo que ellas) y el clima de ocupación, de guerra, el color militar que desteñía sobre piedras y rostros. Y el colegio, cómo sería el colegio, para qué, hasta cuándo, no me atrevía a preguntarle nada a mi abuela, pero me sentía confusamente estafado como si me hubiesen cambiado la vida sin consultarme, y el viaje por la ciudad (que por momentos iba dejando de ser o parecer mi ciudad) lo vivía yo ya como perteneciente a la pesadilla en que se había decidido inscribirme. Cuando parecía que íbamos a salir al campo, mi abuela detuvo el tílburi frente a una casa enorme, de yesos marrones y ventanas enrejadas, con mucha complicación de canalones en la fachada:

—Aquí es. Te esperan. Puedes entrar solo. La Ubalda traerá a la tarde tus cosas.

Y mi abuela me ofrecía de perfil, sin distender apenas las riendas, la mejilla derecha, ultrajada con una pizca de colorete, para que se la besase. Lo hice, salté al suelo y el tílburi arrancó. Me quedé parado en la acera, viendo alejarse el viejo coche familiar, y de pronto, cuando iba a entrar por la puerta absurdamente estrecha de aquella enorme casa, despertó el dolor de la pedrada del Pisuerga, como una horrible flor de sufrimiento extendiéndose por mi cabeza, con raíces crudelísimas y finas en el oído interno.

INMENSOS bosques de coníferas y helechos arborescentes cubrían los continentes, purificando la atmósfera de anhídrido carbónico, y cuando pronuncié aquello allí, así, traspasado por su grandilocuencia involuntaria, agitado yo de bosques de coníferas, todo Rubén, todo Espronceda, todo el Romanticismo y el Modernismo, todas las malas traducciones francesas leídas en la biblioteca de casa, en el cuarto de mi madre, en el patio verde y primero, todo aquello cantaba en mí, despertaba, vivía, como un monte de pájaros que había llevado en el pecho sin saberlo, y aquella modesta descripción de introducción a la Prehistoria dejó en suspenso los siete círculos concéntricos y maléficos de la escuela, como los siete círculos — ¿eran siete? — de la Divina Comedia que yo había leído con la cabeza en las rodillas de Greta Garbo (el Infierno, porque el resto es insoportable; el Mal, porque del Bien no crece literatura), o los siete grados de alumnos, maestros, inspectores, limpiadoras, capellanes, preceptores, jefes políticos y enfermos del último foso. Allá, en lo alto de la gran circunferencia, mientras seguía diciendo, con cadencia modernista y temblor romántico, los párrafos pobremente descriptivos del libro de texto, allí, donde un artefacto meteorológico con cuatro bolas brillantes en los extremos giraba hasta confundirse con la rosa de los vientos, fui comprendiendo de pronto que yo había estado reali-

143

zando algo así como el modelo de Lord Byron niño, aprendido en una biografía del romántico adaptada para adolescentes, quizá por André Maurois, y que yo había sido el niño cojeante (como Byron, pero cojeante de una oreja herida) que cruzaba la calle con modestos encargos, como Byron, llevándole a mi abuela lo que necesitaba, y que asimismo el niño Byron se fundía, en una penumbra de cine, con mi madre, en la sombra blanca de Freddie Bartholomew, niño de moda en Hollywood, pequeño dandy de Capitanes intrépidos, de modo que todo era una farsa, un yo superpuesto de yoes, un engaño, una mentira, un amaño, un plagio, un narcisismo de espejos espúreos, pero a medida que tomaba conciencia de mi falsedad, de mi radical inautenticidad, la recitación de mi voz, de mi alma, se hacía más auténtica, y la emoción lírica y biográfica me llegaba de fuera adentro, o quizá, sencillamente, el dolor del oído, se hacía más penetrante, con el ejercicio de la cantata en verso/prosa, así que el dolor me crispaba, la poesía me iluminaba y aquellos párrafos de pedregullo pedagógico, que los niños y los maestros habían leído y escuchado miles de veces rutinariamente, aburridamente, cotidianamente, ahora les transfiguraban e hicieron de aquella escuela pobre y circular, de aquel infierno docente y pútrido, un Valle de Josafat en llamas líricas, un seno de Abraham llovido de arpas, un limbo de los justos (los justos tenían todos el pelo al cero, por el piojo verde, y su limbo era de orines, mierda, pústulas, purulencias, hambre, tedio, mala luz y miedo).

Bajo el extraño artefacto rectangular, cuyas cuatro bolas metálicas giraban y giraban como ordenando y repartiendo la energía del Universo, en una actividad centrífuga y luminosa, el gran circo superior de la escuela se abría en un hervidero de niños muy pequeños que lloraban y reían, se comían las tizas del encerado, por falta de calcificación, recitaban el abecedario y cantaban salves hasta que alguno de ellos, fulminado por la anemia y la mirada de don Gonzalo — pelo tirante, cuello de porcelana, látigo de vergajo y alfiler, voz de silencio —, caía sobre sí mismo, la cabeza grande contra el pecho leve, y luego rodaba todo él por el graderío, golpeándose contra todos los escaños, contra los otros niños, que le rechazaban a patadas, hasta llegar al fondo del foso, al círculo breve, encharcado y oscuro, donde reposaba con el descoyuntamiento triste y cómico de los muñecos desarmados o con el recogimiento dulce, ceniciento y asertivo de las aves derruidas y menores. Si estaba muerto se lo llevaban en seguida.

A la tarde, o a la mañana siguiente, todo era capilla ardiente en aquel Infierno sin estrofas, y mientras la pequeña momia rígida hacía visajes bajo la luz cambiante de los cirios, yo era el encargado de recitar algún poema fúnebre de Zorrilla o Núñez de Arce, que me eran tan conocidos, y allí, casi coronado por el girar de las cuatro bolas, aureolado de vientos y cuadrantes, volvía a ser el niñodiós byroniano y cinematográfico, con los terciopelos ya muy ajados y la melena muy sucia, que alzaba músicas y luces de toda la poesía conocida, intuida y desconocida, sin pensar demasiado en el ratón de abecedario y orfandad que acababa de morir.

Descendiendo al segundo círculo, donde a veces me senté en camaradería con los tiñosos, los piojosos, los del tracoma y los tísicos, encontraba uno ya unos niños cruelmente madurados en hombre, precozmente adultos, tiernamente asesinos, vindicativos, odiadores de todo, envueltos en su halitosis, su maldad, sus enfermedades y su odio a don Gonzalo y los otros maestros, que a veces pasaban por allí repartiendo latigazos, libros de lectura, patatas asadas que nos habían enviado de un cuartel, o simplemente tirones de orejas.

Dentro de mí florecía la gardenia cruel y monstruosa del dolor de oído, como una iluminación fecunda y roja de todo el cerebro, y yo mismo florecía, creciente y roto, hablador y hablador, en aquel espacio de infancia y geografía, de hedor y guerra, de religión y masturbaciones: un perfume de semen que adensaba el aire como la respiración de un ángel o el hacinamiento (tan visible desde allí) de la Santísima Trinidad.

Así fui descendiendo los círculos de aquel Infierno, los grados de aquella escuela, hasta el último círculo, el más estrecho y apiñado, donde unos ya casi hombres, unos gandulazos de robo y risa hundían los pies en el albañal del fondo, o se ponían sobre una silla para orinar directamente en el légamo. Así había atravesado yo capas de condenados, el espesor de las tiernas edades, huérfanos de todas las guerras, hospicianos, niños con el padre muerto en Cuba, niños con el padre muerto en África, niños con el padre perdido en la manigua filipina, hijos de minero masacado en la revolución de Asturias, chicos con el padre preso por los nacionales de Franco.

También desde los escaños adultos, un muchacho se desplomaba de pronto, generalmente uno de los más hilados y débiles, y parecía volar como un pájaro, en picado, con las alas abiertas y duras de su viejo abrigo recosido, corto, hasta dar de cabeza en el albañal.

Desde aquel primer o último círculo veíamos altísima, remota, la lucerna de la escuela, aquel cielo de cristal y polvo por donde pasaban los ejércitos de Amílcar Barca, de Asdrúbal, de Aníbal, los caudillos españoles Istolacio, Indortes, Orisón y Franco, Viriato con su zamarra de pulgas, Túbal, primer poblador de la península, con una pedrada en la frente casi inexistente, los Reyes Católicos, otra vez el hacinamiento teológico de la Santísima Trinidad, la mujer de Lot, desnuda, con la cabeza de sal en la mano y el cuerpo muy apetecible, que de pronto se transformaba en la Victoria de Samotracia, un éxodo de judíos, un acto de Inquisición en Toledo, toda nuestra ciudad de Valladolid, paseada de cadetes o de moros, con el Campo Grande como un incendio y las mil torres de sus mil iglesias como un cuadro de las lanzas que, ensangrentadas de sol, más que otra cosa parecían amenazar a Dios.

Y sobre todo ello, girando y girando marginal, el aparato meteorológico con sus barras y sus cuatro bolas metálicas. Comprendí que la lucerna era el secreto del colegio, su enseñanza mínima y máxima, el cine sobrenatural de todas las mañanas y todas las tardes que hacía sabios a aquellos niños, dentro de sus enfermedades, mucho más que las explicaciones de don Gonzalo o los otros profesores, que ni siquiera escuchaban. No sé si pasé años o días mirando la lucerna, orinando en el albañal, pero recuerdo que me vi pasar a mí mismo por el cielo, allá arriba, de niño santo y tenebrista, y vi la casa de putas con todas sus putas, extrañamente semiataviadas de monjas, porque de pronto aquella casa era un convento, y vi a mi madre muriéndose en una película de Greta Garbo, vi el pasado y el futuro, el bien y el mal, todas las aberraciones que hacen de las Escrituras un libro sagrado y todas las lujurias que hacen del Greco un pintor celestial, y supe por la lucerna lo que iba a ser de mi vida o lo que había sido ya.

Una tarde, cuando masticaba garbanzos asados y veía en la lucerna, con el cuello dolorido de tenerlo tanto tiempo forzado, a Franco entrando bajo palio en la casa de la Formalita y la doña Nati, entre el fervor y el patriotismo de todos, de pronto cayeron sobre mí cuatro barberos con sus mandilones grises y ensangrentados, porque sin duda mi melena iba siendo ya alarmante, y la postura favorecía su largor, dispuestos a pelarme al cero, lo comprendí, por el piojo verde y por la estética de la casa, y entonces luché con ellos, me puse en pie, les di patadas y puñetazos, el poeta volvió a ser boxeador, pero uno de los albéitares siniestros me golpeó fulminantemente la oreja derecha, la oreja enferma, acertó en la raíz misma del dolor.

Caí muerto.

Resucité en casa de la abuela, en la cama de hierro, siempre echado del lado izquierdo, con un algodón en la oreja derecha, o bien sentado en la cama, leyendo contra la almohada, atendido por el doctor Cazalla, cazallero y masón, que no se mueva este niño, que no se mueva, que no me cambie de sitio por la noche, siempre la misma postura, ya lo sabes, no te me des la vuelta, hijo mío, no apoyes el lado derecho de la cabeza para nada, y ahora ya las gotitas, vamos con las gotitas, a ver esas gotitas para el niño.

Los invasores nos habían devuelto parte de la casa, una pequeña parte. La familia también iba retornando. Mi madre volvió del sanatorio de León y mis tías reaparecieron para coquetear con los espadones que habían dado muerte a Espartero en la guerra carlista. Yo, desde mi cama de hierro, desde mi alcoba con caracolas marinas, máquinas de coser, libros, «La Ilustración Española y Americana» y medicinas, que llenaban mi vida de olor a muerte, percibía el fragor militar del resto de la casa, el trajín marcial de los patios, como si estuviese asistiendo de lejos a la Historia de España. En la noche, despierto para no cambiar la cabeza de sitio, oía la guerra como una cosa paredaña, órdenes y relevos en los patios, voces de mando, el sensato caminar de los caballos, cuando los llevan de la brida, y los himnos de los ejércitos, primero el nacional, lleno de unción, luego el Cara al Sol, más lejano, con algo desafiante y virilizante, y por fin las canciones melancólicas de Cuba y Filipinas, danzones, cosas tristes, aires de Corte española que fuera de España se habían hecho populares y degenerado. Cuando la rumba cubana moría en sí misma y en las guitarras, yo me dormía sobre mi lado izquierdo.

El doctor Cazalla era grande, calvo, con gafas muy gruesas, sonrisa que era siempre risa, bigotito de domador, patillas de marinero y vientre de diplomático que se lo había comido todo en las embajadas. Era inteligente, extravertido, simpático, sabio y amigo de mi padre.

—Esta guerra pasará, señora — le decía a mi abuela —, qué duda cabe, como todas las guerras, a mí me vienen a buscar a casa todas las noches, por masón, ya sabe usted lo que de mí se dice, yo masón, pero jamás duermo en casa, siempre en casa de un amigo, o, bueno, de una amiga, para ser más exactos, ¿por qué no le va a estar permitido eso a un masón? Una noche los carlistas, otra los falangistas, otra los militares, otras los paisanos y voluntarios que actúan por libre. Llevo toda la vida huyendo. A la mañana siguiente me lo cuenta mi señora, cuando vuelvo a casa. Masón hasta la muerte. A mí me viene bien esta necesidad, claro, de pasar la noche fuera de casa, usted disculpe, señora, pero llevo así años, siglos, yo qué sé, apetece la paz, España en paz, dicen que soy masón y soy de Azaña, ¿es que eso es malo?

Me echaba las gotitas, me traía libros de masonería que yo no leía, me decía que era un chico listo, que salía a mis padres, dos talentazos juntos, usted verá, en esta criatura, y me curó.

Por entonces, como ya creo haber contado en este libro de mis vidas, mi padre se pasaba desde Madrid, disfrazado de don Mariano de Cavia, y nos llevaba a misa y al Bar Cantábrico, cuartel general de los nacionalcarlistas y los francotradicionalistas de Valladolid. Pero Judas, el de la funeraria, que tenía media cara doblada hacia la otra media, la nariz ladeada, el ojo, la boca, todo, y que tenía tanto de tonelero que mete a los muertos en toneles, se llevaría un día a mi abuela, o a mi madre, como se había llevado al abuelo, porque la vida al fin es eso: que la gente se quiere, que la guerra entra en casa, que los niños crecemos y Judas, putañero, tonelero, funerario y asimétrico, un día se hace cargo de uno para dejarlo en manos de esos viñadores de última hora que son los sepultureros. No había otro diplomático, otro aduanero como Judas para pasarle a uno la frontera de la vida, de la muerte. Y fue por entonces, supongo, cuando pasó en mi vida algo que ya había pasado otra vez, y que recuerdo de habérmelo leído a mí mismo en este libro, de haberlo visto en la lucerna del colegio, no sé, o sea que vino el moro Muza, en un atardecer, cuando yo estaba solo e indeciso, con el pelo al cero, a la luz de dos calles, dubitante como siempre en la vida, y me tomó de la mano, en vez de darme la perrona, y así me llevó él o le llevé yo al barrio de las putas, a las casas de niñas, y nos entramos por primera vez en la Formalita, ya para no salir.

Yo vestido de monaguillo, él de don Muza, don Damián muriendo en una cama de lenocinio, el entierro del Conde de Orgaz por una rendija, ¿o era Macías Picavea, o el mendigo callejero que le imitaba, loco?, y al fin don José Zorrilla, con toda su grandeza de derechas, que charla en el pasillo con doña Laureana, la usurera:

—En los empeños me dan dos mil pesetas por mi corona de laurel de oro, vieja usuras.

—Yo le doy mil quinientas al señor poeta, pero aquí está segura, viene usted a por ella cuando quiera, si usted tiene una fiesta o lo que sea. Los intereses son los mismos.

¿Quería el dinero para putas, el poeta, lo quería para ayudar la causa falangista, para llevar sustento a su casa, aquella casa de la calle de Fray Luis de Granada, toda de terciopelos desganados, en granate ya ido y caoba vieja? Una mañana amaneció muerta, asesinada, doña Laureana. La encontré yo, que iba a decirle una misa, como tantas veces, a repetirle unos latines rutinarios. La habían asfixiado con el colchón de su propia cama. Vino la policía, hombres de gabardina, vinieron alguaciles, una usurera asesinada, algún ruso debía estar escribiendo algo parecido, por la misma época, en San Petersburgo.

La corona de laurel de oro había desaparecido.

Fueron a casa del glorioso poeta, a interrogarle. El poeta había pasado la noche en el Bar Cantábrico, jugándose febrilmente las mil quinientas pesetas de la vieja con unos legionarios de Franco. Todo el mundo lo había visto. Yo sabía quién era el asesino. Lo intuía. Volvieron policías y guardias a casa de la Formalita. El moro Muza, el gran don Muza, tendido en un jergón, solo y borracho, en una de las buhardas de la casa, fumaba drogas del desierto y dormía con un ojo.

Subí a verle. Me invitó a vino y a la larga pipa de kif, la corona, ya sabes, la corona, quién coños la va a tener, tú eres listo, Francesillo, pienso que vamos a buscar la habitación segreta, ¿se dice segreta? (él decía *segreta*) de Sussona, y que por tal corona no se me va a resistir, la mierda de la maloliente, la cristiana podrida, bueno, perdona, tú también eres cristiano, y yo, que me bautizó Franco en el barco, viniendo para España, nos bautizó a todos, ya te lo he contado. Subió un policía de gabardina.

—¿Y este moro?

—De la guardia de Franco, de la escolta de Franco —decía la Formalita, serpiente rubia, que estaba detrás del policía, en la puerta—. Un héroe de la guerra, ahora está herido, mire la sangre en el turbante, a veces viene a vernos, necesita compañía. Pronto volverá con Franco.

El policía lo dudó un momento. Quizá por un momento estuvo seguro de que el moro era el asesino, o el encargado por don José Zorrilla de recuperar la corona de laurel de oro. En todo caso, un poeta de la raza y un moro del Caudillo. Delicado asunto:

—Mis respetos al Caudillo, mi adhesión —le dijo al moro.

Cerró la puerta y se fue. Muza me ofrecía la larga pipa de kif con un guiño mientras por la pina escalera se hundían las pisadas secas del policía y las chancletas de la Formalita. Esta noche te vienes, Francesillo, que sé dónde picar para desemparedar a Sussona. El moro estaba muy borracho o muy drogado. Le dejé orinando, sentado sobre sus piernas cruzadas, en la cama, en un bello orinal con un paisaje inglés.

Aquella noche subí a buscar al moro. Me esperaba con una piqueta y una vela. Él tenía otra piqueta y llevaba en la frente negra y herida, lindando con el turbante, la corona áurea del poeta de España. Fuimos por corredores, escaleras, por salas de silencio y por traspatios. Aquí es. Estábamos como en una sacristía expoliada, por las traseras de la casa, y la luz de la luna nos venía del cielo.

Vamos a trabajar, españolo. Picamos una puerta tapiada. Todo lo habíamos cerrado tras nosotros, para no mover ruidos. Yo me cansaba mucho, pero aquello sólo era ladrillo y estucado viejo, un emparedamiento medieval, y pronto estuvo visible, vertical, la momia como egipcia de una mujer ancha y blanca. Muza le acercó la vela. Era un espanto de calavera con trenzas, de boca hueca y con labios de almagre, un paquete de muerte que se deshacía bajo los lienzos, en un polvo antiguo y penetrante. Muerta y bien muerta, dijo el moro. Se quitó la corona y se la puso a Sussona sobre el mero hueso. Brillaban los laureles con la vela. La luna creaba un espacio mágico, pero cierto hervor de ratones le quitaba misterio al gran momento.

—Tú, niño inocente, mañana encontrarás este milagro, correrá el prodigio, devolverán al poeto (a veces decía *poeto*) su corona y el gran Muza le dará por el culo a Lola de Oro, qué mujer, Francesillo, qué española.

Nos fuimos sin dejar rastro. Ya en mi cama, pensé un momento en la momia pútrida, con la corona de oro, y luego me dormí con asco, mas sin miedo. Enredando por la casa, pronto encontré el milagro, a la mañana siguiente. Todas las putas en aquel recinto, desnudas o con bata guateada, algunas con su bello camisón Imperio, ensangrentado de las menstruaciones. Hubo gritos, chillidos, sospechas, miedos, recelos, ahora qué va a pasar, nos detendrán a todas, el Patronato, vamos al Patronato de cabeza, a fregarles los suelos a las monjas. La doña Nati me llevó a su cuarto.

—Siéntate ahí, Francesillo. Todo es cosa del moro. Ha contado contigo como mano inocente. Doña Laureana aún la tenemos en capilla ardiente. No hay que dar escándalo. Esas ignorantes andan asustadas. Tú ni palabra a nadie, Francesillo, pero cuidado con el moro. Haremos algo grande de este robo, de este crimen, de este milagro.

La doña Nati tenía extendido por la espalda el hermosísimo pelo negro. La doña Nati estaba guapa sin pintar, infantilizada por el sueño reciente. La doña Nati mostraba dos medios pechos blancos y morenos por la bata sin atar, que era bata/kimono, seda y acuarela, lujo y sexo. La doña Nati usaba pompón en las zapatillas de taconcito y cigarrillo canario de lo que le traían los legionarios. La doña Nati estaba buenísima.

Y en el nombre del Padre, del Hijo y del Espíritu Santo, hoy vamos a poner ante vuestros ojos, amadísimos hermanos, un prodigio que el cielo ha obrado en nuestra ciudad, en esta nuestra ciudad, fortaleza noble de una guerra contra España y contra Cristo, escudo inamovible de todas las guerras de perversión y perdición que amenazan nuestra integridad. En el nombre del Padre, del Hijo y del Espíritu Santo, yo digo que un infiel que se ha dado a la fuga, asesinó la otra noche a una devota dama, a una santa mujer, a una viuda que custodiaba la corona de laurel de oro de un gran poeta nacional, el más vivo y perenne representante de nuestro Romanticismo católico, no de ese romanticismo calvinista, lleno de suspirillos germánicos, que otros han imitado. Por modestia del poeta y celo de la anciana, ella tenía en su retiro la corona, el valioso símbolo, y también os añadiré que en la santa casa de retiro que habitaba, se hacía decir misa todas las mañanas, tomaba comunión, ocupaba sus días en el Santo Rosario. Un infiel dado a la fuga, de los que nos trae esta guerra promovida por las hordas separatistas de ultramar y de nuestras queridas regiones litorales, ha dado muerte a la santa mujer y se ha apropiado de la joya, en una noche horrible. Pero aquí interviene, amadísimos hermanos, como no podía ser de otro modo, la mano invisible y delicada de la Divina Providencia. Aquí, escuchadme, el milagro. A la mañana siguiente del espantoso crimen, otra santa mujer de pasados siglos, un ejemplo de celibato, una cristiana enterrada en la misma casa, aparece a la luz, caída su losa vertical como por milagro y sin estruendo, y la sagrada reliquia tiene en su frente la corona de oro del poeta.

Esto, amadísimos hermanos, lo han visto los hombres más sabios de nuestra ciudad, lo han comprobado los varones más doctos, esto, os digo en nombre de Cristo, es milagro de la beata Laureana, que así se llamaba, y a la que anticipo el honor de beata porque sé que la Iglesia acabará otorgándoselo. Un sabio hagiografista de esta catedral está trabajando ya en la vida y milagros de la beata Laureana, para enviarlo todo a Roma, con vistas, hermanos, a la futura beatificación de Laureana, dama generosa en bienes espirituales y materiales, que unos y otros recoge y administra hoy este arzobispado con la autoridad que nadie le niega. La aparición de la sagrada reliquia enterrada hace siglos, con la corona de oro en su frente, es una devolución que nos hace el cielo, mientras el malvado, como un Judas que hubiera perdido las treinta monedas, colgará ya a estas horas, seguramente, de algún árbol retorcido de nuestros campos, por no haber podido soportar su culpa, su falta, su crimen y, sobre todo, la clara intercesión del cielo en favor de su víctima. La Iglesia es prudente y camina despacio. Yo os propongo hoy, amadísimos hermanos, que desde ahora se inicie en nuestra católica ciudad un culto a esta santa mujer, muerta por la fe de Cristo, un culto natural, espontáneo, ingenuo, una forma de devoción por la que el Cielo, que todo lo ve, se sienta conmovido de nuestra piedad. En tiempos de guerra y anti-Cristo, nuestra ciudad ha dado una santa milagrosa. En el nombre del Padre, del Hijo y del Espíritu Santo.

El orador sagrado era un arcediano de la catedral herreriana de Valladolid. Lo había hecho muy bien, con despliegue agustiniano de los brazos, fulgor sombrío de las gafas y brillo de cirios en la punta de la nariz.

Toda la ciudad había acudido a oírle y a enterarse del caso, que la prensa daba enjuta información y las dos santas estaban allí, al pie de la gran escalinata del altar, en sus féretros, Sussona en ataúd cerrado, hermético, casi túmulo, y doña Laureana en caja abierta, con la boca sumida como cuando se quitaba la dentadura, y con un rosario enredado en las manos, rezando para siempre una eterna letanía en su memoria de muerta. Le habían limpiado muy bien la sangre que la tiznaba y maquillaba cuando yo la descubrí bajo el colchón.

Aquello era una especie de funerales o despedida de los cadáveres. En primera fila del público había hombres de correaje, políticos conocidos de los periódicos, un obispo venido de Burgos y otro del Pazo de Meirás, ambos en representación oficial de Franco, lo cual embarulló un poco el protocolo. En primera fila del público estaban Zorrilla, Núñez de Arce, Macías Picavea, don Marcelo, Martínez Villergas, Emilio Ferrari, románticos y neoclásicos, y fue cuando Zorrilla se arrancó al pie del cadáver de su prestamista, con sordo golpe de su rodilla en la losa de la catedral:

Ese agudo clamor que rasga el viento
es el son funeral de una campana

Entre el público, hacia atrás, muy puestas de velos, mantillas, madroños y encajes negros, estaban todas las putas, excepto Luna, llorando con unción, tras sus abanicos, el sermón del arcediano, la hermosura de lo sobrenatural y, sobre todo, lo bien que se había resuelto el caso. Estábamos allí como habíamos estado en la conmemoración de don Álvaro de Luna y en la despedida de los últimos de Cuba. Sólo que con mucho más motivo. Yo había vuelto a ser, para aquel

156

acto, niño de terciopelos ajados, peinado a raya con colonia, por Carmen la Galilea, y medias negras hasta la rodilla que me flojeaban un poco y me estiraba todo el tiempo. Comprendí que, aparte la flojedad de mis medias, la Historia de España era hermosa en toda su grandeza. A mi lado estaba, engualdrapado, atalajado, solemne y conmovido, con su turbante y sus cruces, el moro Muza.

TAL y como había pedido y anticipado el arcediano, en seguida se organizó un culto local fervoroso a la beata Laureana, y don Luis, el coadjutor de mi vieja parroquia de San Miguel, llegó una mañana con dos albañiles a la calle del Conde de Ribadeo, y en la rinconada misma que hacía la casa de la Formalita, los albañiles trabajaron una pequeña hornacina en la piedra, pusieron una foto ampliada, grande, vieja, borrosa, de la beata, con mantilla española y los ojos un poco alzados. Sin duda, lo más místico que había podido encontrar don Luis en el álbum familiar de la santa.

En torno de la foto pusieron flores de trapo, lirios de percal, angelitos de yeso y cintas con la bandera española. Finalmente se colocó con mucho cuidado un cristal cerrándolo todo. Don Luis, revestido de no sé qué y con un objeto de plata en la mano, aspergió el cristal, la piedra, todo, mientras un albañil soplaba el polvo que había quedado de trabajar la rocalla.

No hubo mayores solemnidades.

—Se ve que el arzobispado no las tiene todas consigo —dijo la doña Nati mirando por detrás del visillo y entrándose una mano por el escote hasta rascarse directamente la pelambre de un sobaco.

158

Pero lo cierto es que empezaron a llegar viejas, por las noches, claro, viejas con candelas, con candelillas, con lamparillas de aceite que ponían en la repisa al efecto, besando el cristal de la urna y arrodillándose en la acera. Ellas mismas se deslumbraban del efecto místico, lumínico y milagroso que habían producido con sus luces inseguras en el viento de la calle, disfrutaban una pequeña escenografía celestial, olvidadas de que era obra de ellas tal juego de luz y santidad. A veces había cola de viejas, las de primera fila arrodilladas y las de atrás en pie. Entre ellas, algún marido arrastrado, con el sombrero duro en la mano, o la gorra.

A veces había una sola vieja — era lo más frecuente — que al pasar por allí, en su chancleteo por la ciudad, se había acercado hasta la hornacina de la beata Laureana para rezarle algo y dejar una limosna o una lamparilla.

Las lamparillas las mataba el viento, como insectos de luz estrangulados por un murciélago instantáneo de la noche, y las limosnas las recaudaba don Luis, que habían colocado cepillo o hucha de madera, cuadrada, con candadillo, y allí caían las perronas y los cuproníqueles de las beatas. Volví a ver al viejo sacristán/organista/tenor/campañero/limosnero, con su pelo de plata falsa y su cara de pájaro mal intencionado, haciendo a veces la operación del candadillo y llevándose la calderilla en una bolsita que tenía los colores vaticanos.

—Pero el Vaticano no se pronuncia — dijo la Formalita.

—Esto al final va a perjudicarnos — dijo la doña Nati —. Estas beatas se enteran de todo y la clientela de calidad, por otra parte, se retraerá de visitarnos, por no encontrarse con esas brujas.

—Cabrón de moro.

Cabrón de moro. El moro, más moro que nunca,

se paseaba por toda la casa, jactancioso de no se sabía qué, sin hablar apenas con nadie, borracho y altivo.

La doña Nati lo dijo un día:

—Este negro empieza a ser un peligro para la casa.

—Ésta es Criselda. Éste es Francesillo.

Luna nos tenía cogidos a ambos por la cabeza, a cada uno con una mano, sus dedos de reina vieja enredados en nuestro pelo, y la distancia de sus brazos extendidos era lo que nos separaba.

—A Criselda me la han enviado ayer y te va a sustituir en mi servicio por algún tiempo, Francesillo —dijo Luna.

Criselda era morita clara, de unos quince años, con los ojos maquillados de maldad ingenua y el rabillo irónico. Criselda era menuda y muy formada, bellísima bajo su pelo negro de trencillas menudas, infinitas, como dibujadas por un Giotto árabe (pienso ahora). Me enamoré inmediatamente de Criselda, claro, pero al mismo tiempo me dolía la sustitución impuesta por Luna y, finalmente, me hacía sonreír hacia adentro la solemnidad que Luna le daba a sus palabras, pues ni yo había estado nunca a su servicio absoluto, realmente, ni era de ella de quien yo dependía en último extremo. Luna vivía dentro de su leyenda. Mas advirtió quizá mi decepción, fue compasiva conmigo y, por otra parte, la iluminación de una maldad fecunda transparentó sus ojos negros:

—Pero tú puedes ayudarnos, Francesillo. Alguna vez os necesitaré a los dos. Ya sabes que puedes venir cuando quieras, aunque no te llame.

Criselda, hermética y dulce, tímida e irónica, venía

de no sé qué Persia con mercado de esclavas e iba a ser la servidora íntima —¿íntima?, empecé a comprender— de Luna.

Criselda tenía la boca como a la espera del primer beso de su vida y los pechos, sólo pezón, quizá, suavemente pugnaces bajo la túnica que Luna le había puesto. Quise mirar a Criselda profundamente a los ojos, pero ella los huyó.

Patio de San Gregorio, gótico recargado, gárgolas y profetas a descifrar por la luz de la tarde, laberinto habitado, pululante, arquería de la nada a la nada, penetraciones de la sombra, rincones, trenzados y serpientes, fornicaciones y blasfemias en el tapiz del aire, un Apocalipsis mellado por el tiempo, una invasión plana de lo tan corpóreo, la mano azul del aire deteniendo eternamente la llegada violenta de los monstruos y las doncellas.

San Gregorio.

De pronto, perdido en mi laberinto de imaginaciones, allá donde el gótico recargado quiere ya humanizarse, ser barroco, tomar cuerpo y beberse el alma, para luego orinarla por una picha de fuente de piedra, de pronto, entre el sol y la sombra, solo y buscando a las dos mujeres por la cuadratura de San Gregorio — Luna nos había llevado a ver el patio, tan cercano de casa, a Criselda y a mí, en aquella hora muerta de la tarde —, de pronto ambas en un rincón, en una esquina, donde el sol ya se iba, y la niña con la cabeza en una de las finas columnatas, y los ojos cerrados, más mora sobre la piedra blanca, y Luna besándole el cuello, las orejas, los pómulos, los párpados, la frente y la boca.

Quedé quieto, silencioso, no había nadie en el claustro, quedé protegido por la confusión armoniosa de la teología y la piedra, tejida para este instante tantos siglos ha, y por entre el calado vi el amor de ambas, cómo la niña esclava se dejaba hacer, la cabeza de Luna, musicalmente envuelta en sus sargas, contra los pechos de Criselda, y su mano de reina, su mano derecha, rápida como un reptil, con un diamante instantáneo de sol en el metal, desapareciendo bajo la ropa de la morita, a la busca de aquellos pechos/ amapolas, adivinación que me fue fácil, pues que había conocido yo los pechos de Infanta, de Clara, de Ofelia. Una fuente era el costurón de agua de la tarde y todo el cielo azul venía a anidar, como un solo vencejo, en el calado de la piedra de San Gregorio. Una campana teologal empezó a sonar.

Para siempre fija aquella tarde, irreal, como no vivida, pese a lo que luego pasaría y en seguida voy a contar. Ni recordar puedo cómo me reuní con ellas, cómo vinieron hacia mí, cogidas de la mano, pero un poco distantes una de otra, la niña con aquel desviar los ojos que no llegaba a bajarlos, y Luna sonriente, buena, maternal, profunda, condolida de luz y hermosura, sin rastro de lujuria, vicio o beso en su rostro puro de hebrea mezclada mil veces con cristianos. El amor de las mujeres, el amor entre mujeres, lo que tardaría yo en aprender que Luna no amaba a Criselda ni a mí, no buscaba a Criselda ni me buscaba a mí, sino que buscaba la juventud, la adolescencia, la trasudación natural de la vida reciente, de lo joven neutro, porque qué importaba en esto el sexo.

El sexo era la luz, que es el sexo de los ángeles.

Luna besaría en Criselda, digo, su propia juventud gastada, la niña que fue, soluble en la mujer posterior, esa cosa de jardín que tiene el cuerpo de la doncella cuando la edad pasa por él como un perfume azul o una mano que ordena lo naciente.

Aquella noche, en la buharda, pensé en el amor de las mujeres, en el amor entre mujeres (mientras el

Conde de Ribadeo se paseaba por la calle y el cielo en menguante), como en una mitología nueva, extensa y desconocida que se abría ante mí, llenándome de confusión y deseos.

Amarillos: amarillo brillante, amarillo de Nápoles, que tiene el sol roído de las fachadas viejas de la ciudad, amarillo de cromo, metálico y tranquilo, ocre amarillo, tostado como la piel de algunas muchachas, de algunos muchachos, de tu piel, Criselda, decía la voz profunda y en quejido de Luna, explicándonos los colores en su cuarto y los colores de su cuarto, yo a distancia, sentado a lo moro en un cojín, ellas enfrente, echadas y muy juntas, y la tierra de Siena natural, que es la que amasa, Criselda, tus pechos aún no nacidos, y besaba los pechos de la niña, y mirad bien los verdes, el verde Veronés, el Veronés fue un pintor, de Verona, supongo, de donde Romeo y Julieta, un pintor que se inventó un verde, porque los pintores, los poetas y los músicos inventan colores, cultivan colores, mientras que estos españoles guerreros y borrachos no hacen más que la guerra y el crimen, Criselda, o ese verde esmeralda que escondes en tus ojos, y que sólo cuando la luz muy temprana te da en ellos, asoma como un río muy lejano a tu mirada oscura, y le besó los párpados de plata y carboncillo, la tierra verde, Criselda, la tierra verde, escucha, Francesillo, que tú serás pintor, poeta, alguna cosa, que yo te veo talento, Francesillo, o mirad bien los rojos, el rojo bermellón, que está en tu lengua, Criselda, dame tu lengua, niña, y la besaba con profundidad, el ocre rojo, que es un color que llevamos por dentro las mujeres, el color de la vagina, de los grandes labios, de los pequeños labios, el ocre rojo, que palidece o se oscurece, pero que en su salud es eso, ocre rojo, tierra de Siena quemada, Santa Catalina era de Siena y la quemaron y la torturaron con una rueda de cuchillos, ¿sabíais eso?, me gustaría, Criselda, torturarte un poco, sangrarte cariñosamente, beber tu sangre tímida, y la laca garance y todas las lacas, laca de carmín fino, laca quemada, todo está en nuestro cuerpo, en el desnudo, los pintores han pintado siempre hombres y mujeres desnudos, el Greco descubrió que éramos verdes, o el azul cobalto, con un mar encerrado y mareado en su interior, o el azul de Ultramar, que tú tienes en los ojos, Criselda, pero que yo he visto en otros ojos, y que es la sangre misma, roja, volviéndose marina en la mirada, y el azul de Prusia, y qué sabéis de Prusia, niños míos, y el negro melocotón, porque esos melocotones que cogéis de mi patio, que coméis, tienen también el negro en su inocencia, y su color rosado, su amarillo matinal, su oro pálido, están compuestos asimismo de un negro que hay que ver y conocer, amo estas cosas, amo estas verdades, amo todo eso en ti, Criselda, niña, y la iba desnudando, besó el pelo en trencillas, la indecisión de la frente, la nariz en huida, los pómulos, besó la boca de la niña, el cuello, y se dejó abatir sobre los pechos mínimos, claroscuros, ingenuos, de Criselda, y descendió hasta el vientre, le dejó en el ombligo un brillante de saliva, y recorrió los delgados muslos débiles con sus manos de bruja/reina y hundió al fin la boca, la cabeza, en el sexo infantil de Criselda, la oí respirar dentro, dejar allí saliva, vida, lengua, absorber las sustancias de Criselda, devorar su vulva, acariciar con la lengua las paredes de la vagina, humedades rosa y confundidas, hasta el orgasmo intenso de la niña, que se ahogaba y chillaba y murmuraba, y entonces Luna ascendió hasta su oído y le decía su amor en arameo.

Por calles de neblina en las que parecía entrarse el Pisuerga con su música sucia, por plazas y mercados, entre la revuelta invernal de las verduras y la hostilidad de los balcones, íbamos en entierro, iba el entierro, iba Judas al pescante, Judas, que antes de partir me había dado un pescozón de pésame y me había dejado, como envuelto en una púrpura fina, envuelto en su vaho de vino.

Por calles de neblina y de montes mortuorios, iba el remoto entierro, y llevábamos horas, días, caminando hacia no sé qué cementerio, aunque acabábamos de partir de la parroquia de San Miguel, de mi parroquia, y yo era el principito de terciopelo ajado que presidía el duelo de una familia extinta, tras de la cruz de prodigio y hojalata, tras el latín salivoso de don Luis, el coadjutor, y el latín indignado de don Agustín, el párroco, y el latín falsario del pájaro/sacristán/campanero/organista, tras de los plumeros de segunda, o de tercera, de los viejos caballos, tras la incesante tripa cular de aquellos caballos, tras la carroza de Judas, un día enguirnaldada por la muerte de mi abuelo, otro día profanada por el chillerío de las putas que iban a la estación del Norte a despedir a los héroes de Cuba y Cavite, y hoy, ayer, entonces, cuándo, habilitada para un entierro de segunda, de tercera, que ni siquiera partió de la casa/palacio militarizada, requisada, sino de la puerta de la iglesia, contra la celliasa ceremonial de los días de luto.

Creta de calles y plazas, la carroza lindando los barrios de las putas, casi hubiera podido oírse desde los balcones de la Formalita el latín de los curas y el sacris. Detrás de mí, un cortejo de porteros, mutilados, antiguos criados de la familia, amigas de las amigas de mis tías, que habían aprovechado para lucir peineta y abanico, como en una decembrina Semana Santa, y David el bestia, a la cabeza del enjambre de tontos callejeros que se sumaban de cola a todos los entierros y desfiles. Y el frío.

Tuve de pronto el espanto de no saber si dentro del ataúd iba mi madre o mi abuela, quién de las dos había muerto antes, cómo era posible haberlo olvidado, si fue la noche anterior, también el novelista francés metió la muerte de su madre en la muerte literaria de su abuela, o viceversa, pero aquí no hay literatura: hay una infernal duda fría que se va llenando de niebla del Pisuerga, y lloro un llanto duro mientras salimos al arrabal de huertos y marmolistas, y sólo sé que estoy enterrando a toda mi familia, mi casa, mi pasado, el padre perdido en la defensa de Madrid, las dulces matriarcas de la casa en un entierro pobre y de guerra, quién fue primero, quién fue después, un cuerpo morado y querido, un cuerpo de mujer joven o vieja ya en esa caja barata que Judas ha adaptado a las medidas del cadáver.

Cruzamos descampados por donde la ciudad ya sólo era un grito lejano, una irreal bocina, nada, y yo sentía como si nos fuéramos acercando a la ardiente línea de la guerra (al fin y al cabo debíamos ir hacia el norte) y así vimos, en nuestro pasar cansado, en nuestro cruzar climas y oficios, un pelotón carlista de fusilamiento, aquellos uniformes que yo había aprendido a conocer por las viejas revistas, quizá la gente de Santa Cruz, ajusticiando a cinco hombres borrosos y grises contra un murete de ladrillo desastroso.

Quizá el oficial mandó detener la ceremonia mientras pasaba el entierro, pero en seguida oí el grito de fuego, los ocho o diez disparos, en espantosa coincidencia, más una pólvora en salvas que me estremeció como si, encima, hubieran matado un pájaro que pasaba. No volví la cabeza, y sin embargo recuerdo aquellos hombres barbados, con el doble temblor del frío y de la muerte, aquellos españoles grises e inciertos, que cayeron unos encima de otros, teniendo todo el campo para morir, como en una última conspiración de cuerpos. Había un chico moreno de camisa blanquísima y ojos espantados, que cayó con los brazos muy abiertos y que sólo muchos años más tarde he reconocido en los fusilamientos de Goya en Madrid.

—¡Viva la República! —fue el grito blando perdido en la mañana.

¿Qué República, la primera, la segunda? ¿Qué República andaban fusilando por España? Todo el cortejo se santiguó, ahora no por mis muertos, sino por los fusilados, y yo, niño que descreía, me santigüé también, por hacer algo en mí y en favor de aquellos compatriotas. Entrábamos en un camino de álamos que pronto se tornaron en cipreses. Los últimos marmolistas hacían su canción de herrería para herrar a los muertos, en sus talleres al aire libre, en sus patios con verja y cancela desportillada.

Yo tenía el pelo denso de lluvia y los pies espesos de barro. La faringitis y la colitis me subían desde el fondo de la tierra a mi débil intestino, a mi quebradiza garganta, y la fiebre comenzaba a ilustrarme las mejillas como una indignación. ¿La madre, la abuela, la muerta? Judas, a aquella altura del viaje, ya se permitía incluso dialogar a gritos con los dos caballos (el entierro de mi abuelo había tenido muchos más), y sus gritos pasaban por sobre el latín de los curas como el trueno por entre la teología de las nubes. Al fin los curas callaron, cansados, asqueados o dominados por la voz de Judas, y el cementerio no se veía por parte alguna, pero íbamos dejando un rastro de toses, caídas, flores sin respiración y tontos de baba que la gente sacaba a las puertas para ver un entierro.

Habíamos cruzado las barriadas ferroviarias de las Delicias y los Pajarillos. Por las Delicias, un nudo de hierro y una alarma de humo: parte del cortejo cruzó la vía por el viejo puente de travesaños negros, de modo que hubo un entierro de dos pisos y los del cortejo caminaban sobre su propio muerto. Las sirenas de las fábricas, las locomotoras en maniobras y medio barrio entre las arboledas del humo, mirando el traqueteo siniestro del coche fúnebre sobre el enredo de vías.

Por los Pajarillos, los lentísimos trenes de la guerra, llenos de muertos y borrachos, y un horizonte verde pálido bajo el mapa sucio de la nieve de días atrás.

Llegamos al cementerio.

En torno del panteón familiar, ya tan sabido, ay, los curas hacían su latín penúltimo, que era una repetición un poco más brillante (pero en absoluto conseguida) de todo lo que habían mascullado durante el viaje. La cruz de hierro, hojalata y milagro, danzaba de mano en mano de monaguillo necio. El sacris iba y venía como dirigiéndolo todo, dando instrucciones a los sepultureros, que no le hacían ningún caso. Los criados, los baldados, los porteros del barrio hacían en torno de mí un cerco de manos pedigüeñas como corona de espinas o como la rueda de cuchillos de Santa Catalina.

Seré Santa Catalina entre vuestros cuchillos, pensaba yo, pero os vais a joder, que no hay un duro. Las amigas de las amigas de mis tías, todas de luto nacional, peineta de Semana Santa y bocas Gilda, empezaron a coger flores de las coronas para ponérselas en el escote, entre las tetas, hechas ya unas putas.

La labor de albañilería que es enterrar a un hombre o una mujer, y sólo eso, iba llegando a su fin. Un brazo pesado, una mano caliente estaban sobre mí.

Era Judas, que sin duda pensaba devolverme en el pescante a la ciudad, como cuando la muerte del abuelo, más iniciado yo en los campanos de tinto, y no digamos en las putas. El ángel del panteón, el ángel familiar, irónico y femenino, casi, que tan escasamente católico le había salido a don Rubén de Merino-Cerro, artista local y escultor de cementerios (gracias, don Rubén), el ángel familiar me sonreía familiarmente.

Rompí el cerco de manos-escudillas, de escudillas-cuchillas. Rompí el cerco, los cercos concéntricos de Dolorosas, manolas, amigas y beatas verriondas y tintas en muerte, huí su besuqueo y me di con el cerco final de los tontos. David el bestia se había hecho una corona de flores con las flores caídas de mi muerta. Parecía un cerdo ungido, un asno solemne, un buey coronado. Caí sobre él con violencia, ceguedad y crimen. Los demás tontos de entierro corrían a esconderse. Le arranqué las flores a David el bestia, le pegué con mis puños cerrados y mis manos abiertas, cabalgué sobre él, golpeé con mis codos sus dientes verdes y anchos de rucio, hice sangrar sus ojos abultados y un pozo bizcos.

Luego, de pie, le pisé todo el cuerpo más pausadamente, con crueldad, desahogo e incomprensión. Ni sé si las gentes del cortejo chillaban o qué. Sólo recuerdo el relincho de un caballo, que quizá resumía todo el exitar del grupo. Ni siquiera los hombres vinieron a quitarme del tonto. Las flores, en un puñado, las dejé sobre la tierra oscura, miserable, como sobrante de unas obras, que era ya la tumba, antes de que volvieran a colocar la lápida.

Creo que las puse, más o menos, a la altura de la cabeza de la muerta, de la madre/abuela.

—¿Te llevo en la carroza? —me dijo Judas.

—Vete a la mierda.

Grupos de mujeres mosconeaban en torno del tonto, le reanimaban sin demasiado entusiasmo. Eché a andar hacia la salida del cementerio, sin volver la cabeza para nada.

170

Me perdí en el regreso, anduve por las orillas del Esgueva, el río pobre de mi ciudad, recordando los tiempos en que yo, creyéndome llamado a salvar mi familia y luchar contra lo que venía, tomé contacto nocturno con los cabecillas de las bandas obreras, de los chicos pobres de mi ciudad. Pasaba un tren lentísimo hacia la guerra, que quizá era el mismo tren de antes. El Esgueva iba crecido, como siempre en invierno (solía desbordarse y dejar a flote la pobreza de aquellos barrios), pero sus aguas, sucias y gordas, me acompañaron un rato en mi regreso a nada. Ya cerca de la ciudad, hice un alto y me arrodillé en el río para lavarme la cara, las manos, el contacto pegajoso y odioso de David el bestia. Luego, ya, el viento me dio en la cara fresca.

ALLí, con el capotón militar sobre los hombros, una noche cualquiera de la guerra, abierta la camisa hasta el ombligo, visible el pecho reseco, rojizo y de no mucho vello, el general Millán Astray entre las niñas de la Formalita, ocasión de mucho rango, visita de gran circunstancia, que bebieron botellas, jugaron naipes, el mílite dedicó fotografías suyas a quien se las pedía y a quien no se las pedía, como tenía por costumbre (llevaba provisión como una estrella de cine), contó anécdotas heroicas de la Legión, el teniente coronel don José Millán Astray y Terreros, fundador de la Legión, de paso por la ciudad, que le miraba yo con gran asombro, camisa verde, fundador inspirado en el Código Samuray del Bushido japonés, deber, honor, sacrificio, bandera, amor y patria, sacó y leyó un viejo telegrama de don Alfonso XIII: «El Rey al teniente coronel Millán Astray y Terreros. Enhorabuena gloriosa herida al frente Tercio, te deseo rápido restablecimiento y envío fuerte abrazo. Alfonso, Rey.» Ahora don Alfonso melancolizaba en Roma.

El cabo Suceso Terreros va con catorce legionarios al Blocao de la muerte y el legionario Lorenzo Camps hace entrega al teniente Agulla de 250 pesetas y le dice, mi teniente, como vamos a una muerte segura, si quiere usted entregar en mi nombre este dinero a la Cruz Roja. Los catorce amanecieron cadáveres y así lo cuenta Millán. Cuando un general del mundo era degradado por fascista u otras calumnias, Millán Astray le enviaba sus medallas militares, en reivindicación, y ahora está aquí, estaba, con el gorro tieso (y no como salía en las fotos), la borla hecha un lío, el ojo derecho con parche de pirata, las orejas abiertas, el bigote guerrero y la boca triste.

Recordaba aquellos tiempos, que él aún había conocido, en que a la derecha mano se le llamaba mano de lanza, y a la izquierda mano de brida, y estuvo contando a las putas cosa de su gusto, los favoritos de doña Isabel II, hasta diez, el general Serrano, o General Bonito, el cantante Mirall, Frontera de Valldemosa, su solfeísta, Arrieta, nada menos que el de *Marina*, el barítono Obregón, Miguel Tenorio, el marqués de Bedmar, el oficial Ruiz de Arana, el lírico comandante de Ingenieros Puig Moltó, y Carlos Marfori, sin enumerar particulares, alabarderos y chulos de verbena, y sin saber cómo pasó a Elio Antonio de Nebrija, gramático de Isabel la Católica, y entonces se puso de pie y gritó muera la inteligencia y viva la muerte, y las putas quedaban algo demudadas, y las llamó bagasas, baldonadas, lenas, descosidas, cellencas, daifas, hurgamanderas y putarazanas, de modo que ellas no sabían tener tantos nombres ni que el inculto legionario — cultísimo, a lo que se veía, al menos en eso — los conociese.

Pasó la noche en saber con quién se iba a acostar el mito tuerto, mas yo me fui a dormir sin que aún se hubiese acostado con ninguna. No sé luego.

Por aquellos días vino a la casa don Rubén de Merino-Cerro, el artista de cementerios, el escultor de ángeles femeninos o muertas con alas, y le conocí con curiosidad, aun cuando no podía saber yo si su arte era bueno o malo, pero usaba melena de romántico trastocado, chalina mojada de lluvia, aunque no lloviese, dedos engarabitados de modelar el barro, voz de tenor retirado de la ópera o por la ópera, y grande estatura.

Fumador de pipa, alto de voz, les hablaba a las putas de sus formas venusinas, evanescentes, marmóreas, mórbidas, y ellas no entendían nada y decían que qué señor tan fino y que a ver si con la parla iba a querer sacarse un polvo gratis.

Los redichos nunca han estado bien vistos en las casas de niñas. Cuando supo que pernoctaba por allí, o cerca, el glorioso legionario, prefirió no encontrarse con él, pues yo soy un artista, un intelectual, un liberal, un hombre de paz, un inspirado, y nada tenemos que hablar, y en seguida había de fijarse en Clara, que andaba entreperdida en sus puteríos.

—¿Y esta niña?

—Pues ya ve usted.

Le acariciaba el pelo, se lo echaba hacia atrás con su mano larga y reumática de la humedad del barro, sin soltar la pipa. Estaba calculando las líneas vírgenes de Clara. La quería para algo más que para tirársela. Aunque de hecho se la tiró, pero días más tarde había de volver preguntando por ella, hubo ramadán entre él, la doña Nati y la Formalita, y finalmente llamaron a la niña:

—Que te vas con este señor.

—¿Yo? Por qué.

—Que eres escultórica, niña, y te va a plasmar en mármol.

—Y que cómo te expresas, Nati — se admiraba la Formalita.

Hubo un dinero de por medio. Un trato de blancas.

—Yo vivo solo, señorita, y va usted a ser mi modelo preferida, única, para plasmar todo el mundo alegórico que llevo aquí.

Y se tocó la frente con la pipa. Creí que se iba a quemar. Aunque ya se la había tirado, don Rubén de Merino-Cerro era artista y seguía llamando de usted y señorita a Clara (que por otra parte lo era). No sé cuándo partieron ni cómo. Pero hubo un rincón del día, una rinconera del tiempo en que Clara me besó en la boca, y nos sentamos un momento en su baúl hecho y dispuesto, nos cogimos las manos con un amor que no nos habíamos tenido, quizá por falta de tiempo, y ella iba como hacia mayor clausura:

—Lo siento.

—Y yo.

—Bobo. Por qué.

Iba a decir «por ti», pero me callé a tiempo.

—Lo siento por mí, ya ves.

Don Rubén de Merino-Cerro prefería tener la puta en casa, la modelo gratis, por la comida, la niña en la cama, por nada, salvo lo que les hubiere dado a doña Nati y la Formalita, y aún se sentía artista romántico y filantrópico sacando almas albas del purgatorio de las purgaciones. El hijo de puta.

Nuestro señor don Millán Astray, fundador del Tercio del siglo xx, ingenioso, zumbón y gallego, vehemente y gallardo, abandonaba aquella mañana la casa, de vuelta al frente, y le oí decir a la doña Nati (¿habría pasado la noche con ella?):

—Lo que hay aquí en la retaguardia es mucho dolor de garganta.

Hasta mucho tiempo más tarde no supe que aquel hombre le llamaba dolor de garganta al miedo, y que él jamás había tenido dolor de garganta.

Partió a caballo en la mañana de hogaza y el animal iba dejando por el empedrado una solemne estela de estiércol.

—Se vuelve al frente.

—No lo hay más hombre.

—Que no va al frente, que se va al Pazo.

—¿A Meirás dices, a ver a Franco?

—El Caudillo, niña.

En esto quedaron las putas.

Por la radio de la alcahueta del pasillo supimos que en Pamplona habían matado a Juanito, mascota de no sé qué Bandera de no sé qué Legión. Era un morito de diez años que se llamaba, en realidad, Mohamed ben Amsen, hasta que le echaron, aquí en Valladolid, «el agua española», como decía él del bautismo. El moro Muza lloró por Juanito, a quien decía haber conocido en la Legión (seguramente mentía o se confundía voluntariamente con otro), Millán, precisamente, había hablado de Juanito la noche anterior, de pasada, y la Formalita recordaba haber leído el bautismo del pequeño infiel en el Diario Pinciano, bajo padrinazgo del comandante de la Bandera y madrinazgo de una señorita vallisoletana. En realidad no quedaba muy claro si el morito se había muerto o se había perdido en Pamplona, y yo me tomé la sopa, aquel día, en la cocina, preguntándome qué coños pintábamos los niños en la guerra, sintiéndome un poco Juanito, un poco moro, yo tan rubio, un poco Mohamed, un poco mascota de putas como Juanito había sido mascota de legionarios. ¿Y por qué los chicos hemos venido al mundo de mascotas? Hostia. En la casa/palacio de mi abuela — ¿existió alguna vez? —, yo no había sido mascota, sino infante. Para aquellos guerreros tan guerreros, era igual un moro, un niño, una gallina, un perro: al fin y al cabo, una mascota.

Una mierda. Mi gato rubio, que después de todo era mi mascota, vino a terminarse la sopa que yo había dejado.

El señor Arteta, banquero de Carlos V, según el libro de un tal Candamo o Carande, que siempre enseñaba, el señor Arteta, quizá ujier en la sucursal del Banco de España, tenía aquella noche con la Camioneta una de sus orgías de impotencia y sangre, y todo el presente quedó borrado de pronto — Millán Astray, don Rubén de Merino-Cerro, Clara, Juanito el moro — por los gritos de la puta en lo alto de la escalera:

—¡Que se me ha quedado el tísico, que se me ha quedado! ¡Ay la Virgen!

Se le había quedado tendido en la alfombra, maljodiente, gargajeando en el orinal, tosiendo dentro, según acostumbraba, hasta que le vino el vómito, el golpe de sangre, medio pulmón por la boca, y lo que vimos fue un muerto al pie de la cama, con el orinal ladeado junto a la cabeza, casi como un casco, y la mancha roja empapando las esterillas de la Camioneta.

—Lo cual que no me haya dejado a mí el mal — decía la Camioneta, sombría, odiando al muerto.

La Formalita y la doña Nati tomaron en seguida decisiones:

—Éste era importante, o se lo hacía. Ya está bien de sangre en esta puta casa — explicaba la Formalita, mirando un momento al moro Muza, todos en la alcoba del cadáver —. Dentro de una hora, con la calma, se le saca de casa, al toque de las clarisas, y me lo dejáis en Tablares con un par de tiros. Mañana dirá el papel que otro mártir de la Cruzada o que un rojillo menos a apestar la ciudad, según les dé.

Hubo como una hora dura y siniestra, hasta el toque cristalino de las clarisas, y entonces, entre el moro y don José Zorrilla bajaron al tísico en un baulón. «Don Muza sabe de trajinar cadáveres», ironizaba la doña Nati. Las alcahuetas, incluida la de la radio, limpiaban la sangre del cuarto y la Camioneta había desaparecido. Cerrado el cuarto, como sellado, hubo una silenciosa brisca en el salón de abajo, sonaron dos tiros sordos afuera, casi como dos toses de perro, y los héroes volvían con los ojos brillantes y las manos polvorientas. Me pregunté quién de los dos habría disparado al muerto. Don Muza, tirado en un rincón, bebía de una botella negra, velado ya su turbante por mil suciedades. El poeta Zorrilla, de pronto viejo de noche y miseria sobre su vejez de años, estaba en una mecedora leyendo el Diario Pinciano, buscando, sobre todo, si hacían alguna loa de él, sus versos o comedias. La Camioneta, muy puesta como de Semana Santa, como cuando íbamos a la conmemoración de don Álvaro de Luna o a las caminatas de San Nicolás de Bari, obispo de Mira, salió de peineta, boca roja y ojos trágicos, casi la Virgen de las Angustias en la procesión de Viernes Santo. La doña Nati y la Formalita se miraron sin dejar de jugar. Sabían que no iba a volver, pero guardaron silencio. «Esto o el reformatorio», le habían dicho cuando profesó en la casa. Yo sabía que se iba a buscar en la noche a Culo Rosa y a Lirio, sus camaradas de farra salvaje, liberada al fin de aquella jodienda conventual con banqueros tísicos y ujieres muertos.

Don Fernando Garrido, escritor y político romántico del año 21, cartagenero y periodista, siempre prohibido por el absolutismo ilustrado, ensayista socialista y marxista, republicano, cooperativista, internacionalizante, don Abdón Terradas, político, escritor, alcalde de Figueras por 1842, donde proclamó la Primera República, detenido tras un motín popular, exiliado en Francia, procesado en Toulouse por conspirador, otra vez alcalde de Figueras, en el 54, destituido un año después, precursor de la Renaixença, el doctor Vallejo, matemático y profesor, del Seminario de Nobles de Madrid, fundador de numerosas escuelas y dos normales, nivelador de los ríos Jarama y Lozoya, fundador del Ateneo y de la Academia de Ciencias Naturales, todas estas vidas las iba yo leyendo y siguiendo en ejemplares un poco atrasados del Diario Pinciano, los que quedaban por la gran mesa del salón, hojeados por Zorrilla, Núñez de Arce, Ferrari, Leopoldo Cano, Martínez Villergas y otros asiduos, pues ya tengo explicado que la casa de la Formalita tenía salón de lectura, visita y copas, al modo de las grandes casas de lenocinio de Sevilla, muy bien explicadas y frecuentadas por don Manuel Halcón, pero cosa infrecuente en Castilla, donde el joder andaba siempre como más escondido.

Hombres de mi tiempo, capitanes del siglo XIX, héroes del folletón de su propia vida, los que venían faenando y conspirando contra Franco a lo largo de dos centurias, el general Díaz Porlier, nacido en Buenos Aires a finales del XVIII, más conocido por el Marquesito, organizador de grandes partidas de guerrilleros en La Coruña durante la guerra de la Independencia, ahorcado por los absolutistas tras el levantamiento de 1815, el maestro Ripoll, don Cayetano, última persona ejecutada en un auto de fe, 1826, en Valencia, deísta, filantrópico y humanista, la Audiencia valenciana le ahorcó primero y le quemó después, don Juan Álvarez Mendizabal, que ayudó a la sublevación de Riego, ministro de Hacienda con Toreno y hasta presidente del Gobierno, desamortizador, disolvió las comunidades religiosas masculinas, cuánta pululación española y progresista en las grandes páginas del periódico, bajo la austeridad gótica de su cabecera, la novela de mi tiempo contada por entregas, lo que iba pasando cada día, la Historia de España, que me llegaba asordada y un poco tardía, porque había despertado yo de pronto a algo así como la conciencia histórica, la noción de presente, lo que estaba pasando, y había hecho ese descubrimiento elemental y esencial de que la Historia está ocurriendo en torno, de que la catedral del tiempo se erige a nuestro alrededor, algo así como la pasión política y la pasión aventurera al mismo tiempo.

Rafael de Riego, mártir de la libertad, ahorcado en la madrileña plaza de la Cebada, tres años después de que se alzase en armas contra el poder absolutista de Fernando VII y restaurara la Constitución de Cádiz, don Joaquín Vizcaíno, marqués viudo de Pontejos, alcalde corregidor de Madrid en 1834, fundador de la Caja de Ahorros, que terminó la Castellana como quien termina una sinfonía, y suprimió la antigua numeración de las calles por manzanas, Valentín Ferraz, militar liberal durante las guerras de la Independencia y de América, amigo de Espartero, alcalde durante el bienio progresista de Isabel II, ventarrón de héroes, galernazo romántico, y todo estaba allí, en el periódico, que yo muchas veces había ignorado, y que ya no era, de pronto, papel de envolver unos zapatos o una merluza podrida, sino cosa viviente, tipografía irregular y temblorosa, pulso del tiempo, emoción, novela, hombres a los que nunca vería (aunque había visto a otros igualmente fascinantes), almenas humanas de mi siglo.

El general Arrando, nacido en Onda en 1815, muerto en Madrid en 1893, de quien llegué a ver la esquela al día siguiente, general progresista, hombre liberal, el príncipe de Vergara, don Joaquín Baldomero Fernández Espartero, español plebeyo a quien le fue ofrecido el trono en 1870, José Abascal y Carredano, que regentó los talleres de cantería de su padre, después de terminar la carrera de medicina, que nunca ejerció, y que llegaría a alcalde de Madrid, cargo para el que fueron a buscarle a la cantería un poco como buscaron a Wamba entre las ovejas, para rey de los godos. Qué derroche de hombres, qué sangría de España, qué vasta y bella la conspiración contra el absolutismo supersticioso, y de qué manera llegué a enviciarme con aquellas lecturas del periódico, con el avatar diario, contado en fragmentos, de los grandes y pequeños románticos españoles, prestigiosos y mutilados como los dioses griegos, vidas en ráfagas, jirones de la Historia, héroes de mi infancia.

Don Salustiano Olózaga, progresista del primer momento, sustituto de Espartero al frente del partido, alcalde gobernador, muerto en París como embajador de España, Manuel Becerra, ministro de Ultramar en los Gobiernos de Sagasta y colaborador en la redacción de la Constiución de 1869. Montes de Oca, marino y poeta, enamorado de la Reina María Cristina, que combatió a los carlistas en su terreno, hasta quedar aislado, con ocho miñones, en zona muy peligrosa. Los miñones decidieron traicionarle, entregarle al enemigo, pactaron mientras él dormía, y fue ajusticiado en Vitoria, dando aún un paso al frente tras la primera descarga de fusilería y gritando viva la Reina, aunque esto del viva quizá era cosa del locutor, porque las noticias de Montes de Oca las daban por la radio de la alcahueta, y las meretrices lo seguían como un serial, aquel marino tan poeta y enamorado, aquella reina tan romántica, y el final de la historia, desgarrador, que me las tenía llorando por el pasillo, tiradas en el suelo, la cabeza en el asiento de enea de una silla baja, putas románticas, al fin y al cabo, me decía yo, y al día siguiente me hacían leerles la historia de Montes de Oca en el Diario Pinciano, que era liberal, porque muchas no sabían leer, y qué voz y qué sentimiento le pone Francesillo a la letra, mejor que el spiker, listo nos ha salido este monago.

Lo cual que por entonces caía yo con unas fiebres que me tuvieran en la cama, buhardilla alta y pequeña, olor cercano de las vigas maduras, y allí me subían todo el papelote de periódicos que me gustaba ya guardar, y me estaba mirando una y otra vez las historias de liberales quemados, constitucionistas ahorcados, regeneracionistas fusilados, marinos enamorados y poetas de la política, como asimismo los grabados que a veces traía de ellos el Diario Pinciano, muy cuidado el daguerreotipo, hombres de pelo como erizado por un galernazo de libertad, casi siempre ojos claros de visionarios, bigotes fieros y barbitas agudas como estiletes de la conversación, y debajo el corbatón, la chalina, un lienzo negro y abullonado que era como el luto que llevaban ya por sí mismos, predestinados todos a la muerte pronta.

La Formalita subía muy de tarde en tarde al buhardillón y decía:

—Muchas almortas ha comido este niño, y muchas algarrobas. Entripado es lo que está.

Me pasaba una mano de mármol por mi frente enfebrecida de enfermedad y lecturas.

La doña Nati era como más cálida y maternal. Se sentaba un poco a la orilla de la cama, con su gran culo enlutado, me cogía el pulso, me miraba la lengua y luego me daba un pellizco en la tripa:

—Ponte sano, Francesillo, que si no llamo al sacamuelas y te da un jarabe.

Yo creo que mi enfermedad sacaba de dentro, en aquellas putas, a la madre que llevaban en el alma. La Isabel me trajo algún regalo de la calle, más que nada dulcería, que era lo mío, la Gilda me pegó unos gritos y me llamó chicarrote, que era lo que solía llamar a los hombres, Luna y Criselda, misteriosamente, estuvieron sólo un rato, una tarde, y me dejaron unas flores y una ausencia violeta, cuando se fueron. Supe que me ocultaban algo, que algo les ocurría, pensé mucho en ello, sin saber lo que era, y luego me dormí. La Peseta y David entraron otra tarde con un paquetón crujiente de algarrobas de caballo, que era lo que tanto me gustaba y me ponía tan malo. Le di a David el bestia dulces y algarrobas, porque me acordaba de la paliza que le coloqué en el cementerio, un día, cuando enterrábamos a mi madre o a mi abuela, y ahora, enfermo yo, me sentía culpable.

Carmen la Galilea, naturalmente, era la que más subía con el gato rubio y se estaba más tiempo conmigo. Las putas niñas habían como desaparecido y la Galilea era la madre ancha, joven, fuerte, violenta y tierna que mi enfermedad estaba necesitando.

—Y cómo te tiran mis tetas, Francesillo. Si mamando en ellas te me pusieras bueno, ahora mismo me embarazabas por tener yo leche.

Esto me daba mucha vergüenza y volví la cara hacia la pared.

—Criatura, niño, perdona lo que digo y toma el gato.

El gato rubio y rojillo se me sentaba en el pecho y me miraba a los ojos, como diagnosticándome. Fue algún momento mágico, dorado y denso, en aquel buhardillón de luz alta, vencejos tardíos y campanas.

Lola de Oro subía desnuda, con mantón de Manila y tacones rojos, se bailaba una cosa de la Caramba delante de mí, me daba en la boca un beso de madre y se iba. Pero lo que dolía, al fin, era el oído, aquel oído siempre enfermo, y un día apareció el doctor

Cazalla, que ya me lo curara en casa de la abuela, como antes Rosa o Juana o quien fuera con su leche, qué perdida la memoria de una vida en otra.

¿Me reconocía el doctor Cazalla, sabía de mi otro yo, recordaba al Paquito palaciego, infantito y afectado del oído? Nunca lo supe, pero se comportaba como si tal, iba y venía por la habitación, una luz morada le brillaba en las gafas, ocultándole siempre los ojos, hablaba de la guerra, de las guerras, Franco trabaja a muy largo plazo y está ayudado por alguien, no se sabe, el Apóstol Santiago, los judíos, los alemanes, no sé, pero pacifica Filipinas y Cuba, triunfa en África, alienta a los carlistas, sitia Madrid, bombardea la República, satánico nos ha salido este gallego, te voy a poner un emplasto, y esta pomadita para el oidito, y nada de dormir de ese lado, siempre del otro, ay Francesillo pillo, Paquito loquito, y se iba y yo sentía que me sanaba, más no supe si me conocía.

Durante las dos o tres semanas que me duró el mal, todas las noches se paseó por la calle y por mi sueño el Conde de Ribadeo.

Oscar Pérez Solís, comunista y homosexual, apoplético y elegante, era un hombre a quien habían dejado con vida los nacionales, un escritor pulcro y vallisoletano de quien se decía que estaba siempre amenazado.

El 19 de julio de 1936, *El Norte de Castilla*, dirigido por don Francisco de Cossío (cabeza noble de viejo caballo heráldico y borbónico, pipa y chalina de bohemio, pluma natural e irónica, hombre liberal como su periódico), salió con un editorial que decía: «Hacia una nueva España.» Años más tarde, pocos, Oscar Pérez Solís buscaba su aproximación al franquismo mediante el puente levadizo y liberal del periódico y de algún libro, donde, aparte otras posibles o imposibles simpatías por los nacionales, cantaba el temple de los mozos combatientes (igual hubiera podido cantar a los de la otra zona, pues que lo que a él le gustaba eran los mozos).

Oscar Pérez Solís, de sombrero duro y negro, abrigo negro con cuello de rizo, guantes negros en los que metía y sacaba sus ahogadas manos varicosas, como dos sapos cardenalicios, se paseaba lentamente, en los mediodías de sol, por las plazas de la ciudad, mirando a los niños que jugaban, y había un cojo rizoso, artista, con una nalga obscena y cómicamente desajustada por el defecto, que le buscaba los chicos al pederasta, mira, rico, que ese señor te quiere mandar a un recado y te va a dar cinco pesetas, ¿cinco pesetas?, un duro, aunque de papel, era tan deslumbrante como el sol para un niño de entonces, y el viejo se estaba en la sombra, tembloroso dentro de su rigidez, esperando.

Oscar Pérez Solís, rojo y bujarrón, prostituido como escritor, petrificado por sus enfermedades, se llevó un día a David a su casa, todo el día perdido David, desaparecido, toda la noche, la Peseta fue a denunciarlo a las comisarías y a los guardias municipales, se le había visto con el cojo de la nalga suelta, por última vez, a David, aquella mañana, camino de la casa de don Oscar Pérez Solís, fusilar a ese rojo es lo que había que hacer, decía la fuerza pública, fusilarle, yo no sé por qué no dan orden de detención contra el tipo, contra el viejo, contra el culantrón.

Hasta la mañana del día siguiente no aparecieron la Peseta y David, le he gritado rojo en la escalera, pervertidor, mariquita, viejarrona, me han oído, palabra que me han oído, he estado dando en la puerta con un zapato hasta que ha abierto el cojo de mierda, a David lo ha echado fuera como un saco de patatas, hasta le ha dado una patada en el culo, sangrando, aquí le tenéis, escocido, roto esta bestia, todo por cinco pesetas, por unas algarrobas, por unas pilongas, por un regaliz, vicioso, desgraciado, maricón nos habías de salir, hijo de puta.

Y era, de pronto, la Peseta, como una madre con el amor trocado en indignación, o el amor revelado por la indignación, para con David el bestia, que se estaba en el primer escalón de la escalera, contra el bolo, la cabeza baja, el pelo de no dormir, los morros hinchados, la nariz confusa de mocos y sangre, y lo que todos le habíamos observado: un andar dolido de que algo le habían roto por dentro, por los bajos, entre el escritor y el desnalgado. No se sabía si David lloraba o maldecía.

La Peseta, muy abandonada ya de su hombre, el asentador de frutas, muy puteada por los golfos de la calle, se volvía como un poco madre, sí, para David el bestia, al que sin duda odiaba, al mismo tiempo, como las madres suelen odiar a sus hijos, y lo llevó arriba para lavarle la cara, peinarle, preguntarle si sangraba o no sangraba.

—Ya ha aprendido el camino y volverá a la casa del culantrón en cuanto que pueda —sentenció la Formalita.

—A ver si la Peseta mira un poco por él —confiaba la doña Nati.

—¿A ti no te manda a los recados el bujarrón? —me dijo Carmen la Galilea.

—Y una mierda.

—Francesillo dice que no traga.

—Demasiada belleza para el don Oscar —y la Galilea me besó en el remolino del pelo.

El moro estaba sentado a lo moro, en un rincón, con una botella al lado, fumando opio o lo que fumase, que no sé lo que era, yerbas orientales, cosas de ver visiones, el paraíso de Alá, la hostia viva. De arriba llegaban los gritos de la Peseta chillándole a David, como chillan las madres —¿era quizá su madre? — su amor desesperado a los hijos que odian.

Y en la mirada del moro vi lo que había visto el día que apareció doña Laureana muerta (y ahora en vías de beatificación). Una mirada oriental y atroz. El moro Muza, con el que ya apenas quería acostarse ninguna de las meretrices, estaba empezando a desear a David el bestia. La brecha abierta por el escritor y el cojo, iba él a profundizarla, si podía.

En los comentos del caso pasó el día, y al anochecer, antes de que empezase a llegar la parroquia, hubo nueva conmoción en la casa. Lo primero vi la carroza de Judas ante nuestra puerta, sin cruces ni angelotes. Sólo dos caballos, Judas vestido como los del partido apostólico, pues apostólico había sido allá por el año treinta, y un trajín de baúles y alcahuetas. Niño, echa una mano. Eché una mano y en seguida vi que era el equipaje de Luna, y hasta el de Criselda, que se iban. ¿Pero para siempre?, pregunté vagamente angustiado. De aquí, la que escapa no vuelve, reía una alcahueta, sin boca ni dientes para reír.

Bajaron ellas.

—Adiós, Francesillo.

—Adiós, Francesillo.

No les dije nada. Como ambas llevaban impedimenta, sólo me besaron en la frente. Las envolvía un perfume malva, una común túnica malva, una luz malva. ¿Ya nunca nos llevarás a San Gregorio, Luna?, dije sin querer decirlo. Luna sonrió y Criselda bajó los ojos. Subieron a la carroza abierta y se sentaron las dos en el mismo baúl, con la cabeza a la altura del culo de Judas, erguidas y de perfil, esperando la partida, como impacientes de abandonar la casa, donde nadie salía a despedirlas. Carmen la Galilea vino a explicármelo:

—Luna no quiere ya recibir hombres, ni que los reciba la niña, no quieren clientes, ya sabes que se pasan la vida solas en aquel cuarto. La Formalita y doña Nati han hablado con Luna. Siempre pasa igual con las judías. Son raras las judías. Que no es manera y que tienen que marcharse, o sea la Formalita. Y ya lo ves, Francesillo, que se van.

—Pero ¿adónde?

La carroza de los muertos estaba casi llena de baúles. Se había hecho de noche en la calle. Judas hablaba en voz un poco alta con sus dos caballos. Me senté en el bordillo de la acera a esperar. Confiaba en que una de ellas volvería la cabeza para decirme adiós. No se movieron. Los colores, el Siena, el amarillo de Nápoles, el amarillo cromo, la tierra de Siena natural, el verde Veronés, todos los colores aprendidos, vividos, gustados en Luna, me llenaban la cabeza, los ojos, y luego quizá empalidecieron en llanto. Había un mundo femenino, hermético y culto, del que yo había sido expulsado silenciosamente. La casa de putas no era más que una casa de putas. La carroza partió con un golpe de látigo y una catástrofe de ruedas. Las dos mujeres se bambolearon un momento con el bamboleo rígido de las estatuas. Eran ya dos sombras. La calle quedó vacía, pueblerina, maloliente. Sentado en el bordillo, repasé con ahínco los nombres de los colores, cerré los ojos para verlos entre el llanto. Amarillo de Nápoles, amarillo cromo, Siena natural, verde Veronés. En mi otro mundo, en mi otra vida, en mi otra casa, sí habían vivido aquellos colores sin que yo supiera sus nombres, hasta que todo lo invadió el caqui militar. Llegué a dudar si David el bestia, sodomizado, brutalizado, molido, desgraciado para siempre, era yo mismo.

PERO Franco había mandado decir misa gratis, en toda Galicia, por Zumalacárregui, los apostólicos ganaban batallas al son de las tonadas del año treinta, a Zumalacárregui le había visto yo, una momia militar constelada de condecoraciones, cuando mis padres me llevaban al bar Cantábrico, el doctor Cazalla, huido de los falangistas, nunca dormía en casa, pasaba las noches en casa de una u otra amiga, e incluso alguna pasó en casa de la Formalita, y a la ciudad iban llegando tropas, ejércitos licenciados, heridos, soldados ya sobrantes de una guerra victoriosa, repatriados, las razas de Cuba, de Filipinas, de África, del Levante español, los saharauis que habían combatido por el Caudillo, cada uno con el atezado de su guerra, de su historia, de su siglo. Los alojaban en conventos.

Casas palacio como la de mi abuela se habían quedado pequeñas e insuficientes. Les llevaron a los conventos de monjas, donde siempre estarían mejor servidos (por otra parte, muchos frailes andaban en la guerra, en las guerras, con la faldumenta arremangada o vestidos de campaña). Las Clarisas, las Adoratrices, las Brígidas, las Teresianas, las Pastorinas, las de la Preciosísima Sangre, las Carmelitas, las Oblatas, todas aquellas mujeres de música y clausura recibieron los ejércitos cansados y triunfantes, las sucesivas resacas de una guerra donde ya se licenciaba a cualquier herido leve, para curarle con mimo, porque todo estaba ganado. Valladolid vivió otra pululación de hombres, soldados, enfermos, guerreros, carlistas, militares, aventureros, místicos, legionarios, moros, rayadillos y falangistas.

En casa de la Formalita había mayor trajín de hombres y jodiendas, aunque no en proporción al personal afluido, pues que la mayoría venían heridos, baldados o con una bala en un testículo, directamente, y no estaban aún en condiciones de reanudar su biografía de putañeros, que es lo que hemos sido siempre los españoles, y sobre todo los españoles en guerra.

Fueron, de todos modos, días difíciles, duros, revueltos, confusos, de mucho subir y bajar escaleras, de mucho llevar a pulso la palangana de agua para que no se derramase, de mucho dejarse rascar el coco por la mano de hierro de un guerrero:

—Simpático el monaguillo, leche.

Tantos hombres, tantos tiempos, tanta riqueza de uniformes, acentos, colores, edades, y sin embargo parecían venidos en un único y mismo deseo: fornicar. Era como el deseo de un solo hombre repartido en legiones.

Eran legiones de hombres animadas por la concupiscencia de uno solo. A las chicas se les fundían todos en una sola imagen, en un solo momento de penetración salvaje o fracaso torpe y cansado, y a mí mismo se me confundían y unificaban. Al final del día era como si un solo hombre hubiese pasado por la casa, pero muy alborotador, borracho, fornicador, loco, heroico, cantarín y pendenciero. El paso plural de una legión deja el recuerdo de un individuo. Así de iguales a sí mismos son los hombres.

—¡Francesillo, agua al quince!

PERO de pronto se supo la noticia. Los soldados, los héroes de retaguardia, los vencidos de tanta victoria, empezaban a raptar y violar monjas.

—Les cansa ya tanta puta.

—Prefieren carne de santa.

—Comerle el chocho a una virgen.

—Y que no todos están para ponerse en pie.

—Alguna abadesa se les echará encima.

—¿Pero esto no es una guerra santa?

—Pues la han ganado las monjas.

Las monjas le habían ganado la guerra a las profesionales. Empezaron a clarear los conventos, y lo que primero fue rumor pronto apagado por las gentes de orden, luego se convirtió en movimiento geológico que agitaba la ciudad y parecía poner en peligro incluso el equilibrio de la Torre de la Antigua, de la que me había hablado Estebanillo González, creo que con desprecio, hacía siglos.

—Ahora sí que se va a venir abajo — pensé.

Galopes en la noche, huidas a deshora, rumor de bandurrias insólitas en la clausura de los conventos, muladar de sacrílegos en la ciudad castellana, judía y callada. Algunas grandes familias, que tenían hija profesa, acudieron con su tílburi, entre dos luces, para sacarla del convento. A veces se encontraron con que ya era tarde. La novicia estaba huida:

—Pero tiene que estar sor Patrocinio del Perdón

y del Cristo de la Sangre.

—Sor Patrocinio del Perdón y del Cristo de la Sangre está en la mula de un regular, seguramente por el Pirineo, si no han dejado de correr — decía la hermana tornera, con la voz ya bruja.

Sor Patrocinio del Perdón y del Cristo de la Sangre no apareció nunca más. Y así otras. Los soldados preferían monjas a putas, vírgenes a hurgamanderas. Los capitanes iniciaban seda de amor con una señorita bien que había tomado hábitos cuando el primer novio le muriera en Cuba.

La fregona del convento, garrida y moza, violenta y descreída, se iba tras un cabo andaluz lleno de viruela, ese empedrado que hace de algunos españoles como unos compatriotas remotos, algo así como nuestros etruscos.

—Mira que las monjas jodernos el negocio.

—Para que te fíes.

Pero tampoco era para tanto. Clientela seguía llegando, primero en tromba y luego raleada. Los mozos de Mayorga de Campos, los alegres y violentos mayorguinos, presos de tanto convento, supieron de la corruptela de la capital y acudieron, no a casa de la Formalita, como era su costumbre de siglos, sino a los más recónditos, perfumados, musicales y albos conventos de extramuros. Allí se sumaron a la requisa de santas (requisa voluntaria por ambas partes), y tras unos días de vida y relajo en los claustros, cada uno partía con su seráfica hacia la Castilla rasa, porque en Mayorga era difícil presentarse con semejante presea.

Tras el fragor, los conventos quedaron solos, callados, desmantelados, como arpas de luz y sombra, en los ángulos oscuros de la ciudad. Habitados tan solo, los santos recintos, por monjas centenarias, ciegas, eternas, algunas momificadas, alguna loca, y en su no saber ni conocer, se decían entre sí que la horda atea había profanado a las santas vírgenes, pasando a cuchillo a los caballeros cristianos de Franco, de Weiler, de Zumalacárregui, y rezaban todo el día en desagravio.

A través de las rejas, a través de la fronda abandonada, por los boquetes del paredón rajado, se veía,
al pasar, unas viejas de mil años, unas sombras de
monja, hilando, rezando, cogiendo fruta podrida de
los árboles de oro, en una tarde irreal, desierta y profanada.

Lo supimos a medias por el periódico, a medias por la Peseta, que seguía siendo la que más callejeaba, a medias por los rumores que iba trayendo la parroquia. Con el reflujo de fuerzas, hombres, heridos, holgazanes, golfos, juerguistas, tipos de farra y locos de la guerra, la ciudad había llenado sus noches de algazara y pululación, de vino y violencia.

Lirio, Culo Rosa y la Camioneta, que andaban una vez más en sus salidas nocturnas, habían tenido un mal percance con los apostólicos. Lirio seguía perfumando la noche con sus zarzuelas piadosas y ripiosas. Por un camino solitario la Virgen Madre sube y va camino del Calvario envuelta en negra nube, y en su cara morena, flor de azucena que ha perdido el color. Que ha perdido el color...

—Quehaperdidoelcolooor...

Un grupo de apostólicos, que rezaba un rosario borracho allá por los Pajarillos, les salió al paso. Maricones. Puta. Rojos. Ateos. Inmorales. Ésta es una ciudad santa. Aquí no se dan escándalos. Culo Rosa quiso dialogar, se puso y quitó mucho las gafas negras, se enredó y desenredó la bufanda. Parece que las manos le salían, patéticas, de los elegantes puños de la camisa, abrumados por unos grandes gemelos de jade y plata, accionando, explicando, deteniendo. Inútil.

La Camioneta, desmelenoide y loca, se interfería entre unos y otros. Ponía borrones de pelo, ráfagas de boca roja en la disputa. Al fondo se oían trenes. Los apostólicos tenían sujeto a Lirio, que era el más notorio. Meapilas, fascistas, chulos, dejad ya a mi novio, sacristanes. La Camioneta lo ponía peor.

—A ti te quemamos en la hoguera por bruja.

Algo así debió ser.

Lirio, lívido y mudo, se dejaba llevar y traer. De pronto, como un Cristo con traje cruzado, dejó desvanecer un poco su cabeza en uno de sus verdugos, que quizá le había gustado por joven.

—Mariconazo perdido.

—Hale con él.

Había niebla del Pisuerga. Había luna confusa y un negror de vino en la noche medieval. Al fondo se oían trenes.

Parece que la aparición del sereno fue decisiva:

—No me armen truenu los señoritus. No me armen truenu.

Los apostólicos le pusieron por testigo de que aquel trío era noctámbulo, golfo, peligroso, inmoral, algo que perniciaba la ciudad. Orinaban en mitad de la calle y cantaban a gritos. La Camioneta solía tirar piedras a los balcones.

El sereno, cerril y judicial, con el chuzo, el farol y la visera, suponía una imagen de legalidad, un símbolo de juridicidad. Lo poco que necesitaban los apostólicos para hacer justicia. A Culo Rosa y a la Camioneta les molieron a palos. El sereno no intervino, pero le quitaron el chuzo y con él dieron fuerte a la pareja. El apostólico que había tenido en su hombro la cabeza de Lirio, dijo lo que había que decir. Al fondo se oían trenes:

—A la vía con éste.

El sereno, recuperado su chuzo, era un farol que se alejaba solo y presuroso, en la niebla. Arrastraron a Lirio hasta la vía. Le sujetaron bien con bramantes y pañuelos. El sastre/tenor gemía dentro de su silencio. Los apostólicos, lejanos entre desmontes, nublados de vino y niebla, vieron venir el tren, pasar el tren, y todo quedó deslumbrado por un fuego y un grito.

A Lirio le había cortado el tren las dos piernas.

Los apostólicos corrían dispersos, espabilados por el hecho, a refugiarse en las iglesias y los conventos, en el anónimo. Las gentes negras de la carbonilla, los que cogían carbones apagados en la vía del tren, viejas y niños, socorrieron el cuerpo de Lirio, le llevaron en un carrito de burro a la Casa de Socorro. Amputado para siempre de las dos piernas.

—Los apostólicos han ganado una guerra.

—Y para eso la han ganado.

—¿Seguiremos saliendo al carbón?

—Nosotros no hemos ganado ni perdido nada con la guerra.

—Éste ha perdido las dos piernas.

—Y sin ir al frente.

Lo supimos a medias por el periódico, a medias por la Peseta, a medias por los parroquianos. Lirio se quedó en casa, en su silla de ruedas, cortando el mismo corte de traje, con el jaboncillo y las tijeras. Decían que volvió a cantar zarzuela muy entre dientes, para él solo.

Culo Rosa se refugió en casa de Oscar Pérez Solís. El desnalgado les planchaba las camisas maniáticamente blancas. La Camioneta, loca por las calles, entró en el loquerío, donde la baldaban a calderos de agua, inyecciones de sueño, sangrías de sanguijuela y patadas en el sexo, por puta. Moría de un día para otro, murmurando: «Cabrones, beatos, fascistas, cabrones, beatos, fascistas.»

Oscar Pérez Solís había escrito «Sitio y defensa de Oviedo». Don Alfonso Carlos de Borbón y Austria-Este, también conocido por el Abuelo entre los carlistas navarros, era hermano de Carlos VII y Regente y abanderado de la Tradición el día del Alzamiento. Los Navarricos lo cantaban por la casa de la Formalita:

Y en realidad, ya tenemos Rey:
¡Que viva Alfonso Carlos
que gobierna bien!

Lirio, años más tarde, ya paseaba por la ciudad, con dos tacos de madera en las manos, balanceando su medio cuerpo, que quedaba todo él dentro de una chaqueta impecable, varonil y anticuada. Volvió a cantar zarzuela en los Gemelos, en el Campano, en las tabernas de los ferroviarios y los tapiceros, de los guadamacileros y los guarnicioneros.

Por un camino solitario la Virgen Madre sube y va camino del Calvario envuelta en negra nube, y en su cara morena, flor de azucena que ha perdido el color, que ha perdido el color. Aquí se sumaba la taberna entera, en un coro vinoso y tormentoso:

—¡Que ha per di do el co looor...!

A veces contaba la historia de la Camioneta, no se sabía si muerta o viva en el loquerío, y los hombres se sentaban en el suelo, cruzados de piernas, para hacerle tertulia y estar a su altura, mientras iba y venía de mano en mano velluda la botella de vino con una paja que traspasaba el corcho, y que era de donde se bebía a chorro. Que ha perdido el color...

Culo Rosa y Pérez Solís no salían de noche. Salían a mediodía, hablando de literatura, de política, conspirando para nada, mirando de reojo a los niños de pantalón muy corto que jugaban en las plazuelas.

El desnalgado les seguía a cierta distancia, hablando solo, sonriente y rizoso, chupando algo, y a veces lo veía yo pasar por la calle del Conde de Ribadeo, con lentitud de cojo. Buscaba, sin duda, un nuevo encuentro con David el bestia. En los mediodías se respiraba ya una paz militar en la cochura del sol. Pérez Solís estaba cada día más rígido y más morado. Culo Rosa, junto a él, iba muy gesticulante, con bufandas al viento y gran juego de manos a la altura de la cara. El cojo, tras ellos, con su nalga desencajada, era el demonio provinciano que asumía y revelaba el vicio griego de ambos, como una gárgola del patio de San Gregorio, como el mal que ellos olvidaban y espiaban al mismo tiempo, como una aberración viva y tardía del gótico floreado.

Don José Zorrilla y Moral, que andaba ya como por los setenta años de su mucha edad, había nacido en la ciudad hacia el año diecisiete, aunque él se quitaba, y a los veinte recitó en Madrid, en el entierro de don Mariano José de Larra, los mismos versos que luego había repetido, en la catedral herreriana de Valladolid, en el funeral de cuerpo presente por Sussona y doña Laureana, que iba camino de la beatificación.

Don José Zorrilla, por entonces, se había cortado la melena, y le miraba yo el cuello por descubrirle la famosa y asquerosa llaga, que a veces habían tenido que lamerle las niñas, porque eso le gustaba o porque era una manera de humillarlas, pero don José llevaba siempre altos cuellos almidonados, bajo la levita verde, y esto le tapaba el mal, si es que no se lo había curado el milagro de una Virgen o la lengua de una puta.

Muy abolsadas las bolsas de los ojos, frondoso el bigote, blanco, caída la barba, como la de una cabra peinada, barba también blanca, llevaba al pecho un cordón con medalla de académico o cosa así, ya que la corona de laurel de oro que le dieran en América (era su decir, si bien luego supe que le coronaron en Granada), se la había quedado la Iglesia para siempre, por los gastos de canonización en Roma de aquella santa usurera que la tomó. También llevaba estrellas al lado izquierdo del pecho y se pasaba los días, ya casi enteros, en el salón de la Formalita, pues estaba para pocas vegadas, leyendo diarios de Madrid y Valladolid, ciudad ésta donde murió y fue enterrado, que luego contaré su entierro, por más que la leyenda diga que fue enterrado en Madrid, cosa que de ningún modo pudo ser, pues Madrid era feudo republicano, en aquel trasantaño, bombardeado a diario por Franco y García-Morato, y el poeta nacional de la llamada derecha tampoco habría sobrevivido con mucha gloria en los cafés desde donde presidía la República don Manuel Azaña, o en el Ateneo de Madrid, dominado también por Azaña, por Joaquín Costa, por don Francisco Giner de los Ríos y todos los amigos de mi abuelo, los que tantas tardes se habían encerrado con él en su casilla de consumero para debatir los males de la Patria, enumerados por Lucas Mallada. Zorrilla tosía y fumaba.

En los periódicos le llamaban epicolírico, que a mí me daba un poco de risa, pues no sabía lo que eso era y sólo me sonaba como si le dijesen que tenía un pico. Quizá se referían a su pico de oro. Recitaba para sí mismo, pero en voz alta, entre los ahogos del bronquio, sus poesías líricas, leyendas y obras dramáticas, y le gustaba que dos o tres meretrices quedasen a su lado, sin chales en los pechos y flojo el cinturón, en un diván, escuchándole la verba, pero las putas se iban pronto a sus quehaceres o jodiendas, que tanta rima les mareaba, y era yo, en fin de cuentas, quien con más atención seguía aquel fluir del castellano, fascinante, como el fluir del agua en la fuente antigua y bella del patio que separaba la casita de Luna (en otro tiempo, ay) de la enlaberintada casa de niñas propiamente dicha.

Toledo, sus versos orientales, el Cristo de la Vega, los cantos del trovador, Margarita la tornera, Granada, Al-Hamar, el godo con su puñal, don Rodrigo, un rey, un zapatero, don Pedro I de Castilla, don Juan Tenorio (estrenada en Madrid en 1844), traidores, inconfesos, mártires, Sevilla, Madrigal, los pasteleros, don Sebastián, rey de Portugal, todo iba pasando, como una fantasía confusa y brillante, poblada y rara, por el recitado bronquítico de don José Zorrilla, que creía estar a solas, en la media tarde, cuando las niñas dormían siesta, pero yo le acechaba desde debajo de la escalera, con el gato dormido en mi sotanilla de monago, y el rayo de sol que le doraba la cabeza, como nueva corona de oro, ya sin sangre ni milagro, era, en el ventanal, el teatrillo de luz y tiempo en que mis ojos veían la magia de la palabra, la fascinación del escandido, el secreto, en fin, de la literatura.

Cuando el claror y la paz se iban del ventano, don José Zorrilla pedía a gritos un quinqué, se lo ponían en la gran mesa de la brisca y los periódicos, se cerraban los cuarterones y contraventanas, y la estancia, en un momento, parecía retroceder un siglo. Era cuando el poeta, con pluma de ave, tinta negra, papel de barba, gargajos, humo y recuerdo, iba escribiendo sus memorias de un tiempo viejo, que yo le leía a escondidas, pues luego lo guardaba todo, hasta otro día, en un cajón bajo e infrecuentado del aparador.

Gran letra romántica, letra de viejo y de escritor, inclinada como una fronda con viento, donde yo me enviciaba también en escribir. Sólo Carmen la Galilea sabía de mis indiscreciones con la obra de aquella gloria nacional. Don José Zorrilla, cansado y solo, enfermo y memorable, llevaba ya en el pecho, bajo las cruces y las medallas, el dardo que mata a todo escritor, la crítica de los nuevos periodistas a su obra romántica, exótica y sonora: más narración que lirismo, decían, y más ripio que pensamiento.

Pero se aferraba al Diario Pinciano, que seguía llamándole gloria nacional y definiéndole como epilírico. ¿Qué esperaba don José Zorrilla, entre su casa de terciopelos malva de la calle de Fray Luis de Granada, toda de huertas y conventos, y la casa de la Formalita, en la calle del Conde de Ribadeo, no muy distantes entre sí, y que eran ya los puntos de su único itinerario?

Esperaba el final de las guerras civiles, la entrada de Franco en Valladolid, camino de Madrid, y un nuevo reconocimiento de la España triunfante y religiosa a su obra llena de perdones, oropeles, cielos, infiernos, ejemplarios y versos que lo cantaban todo y no descubrían ni ayudaban nada. Su edad, su persona y su obra eran la santísima trinidad que esperaba ver glorificada de nuevo por Franco.

Yo le recordaba como de mi otra vida, de mis imaginarias y vividas/¿no vividas? vidas, junto a Núñez de Arce, Emilio Ferrari, Leopoldo Cano, Landrove, los Gardoqui, Martínez Villergas, en los salones de la casa/palacio de mi abuela, como recordaba el estreno del Tenorio en el teatro Calderón de Valladolid, don Fernando Díaz de Mendoza, un Don Juan maduro, doña María Guerrero, una doña Inés jamona.

Fue una noche de insomnio y candilejas en que mis padres y mis abuelos, mis tías y las amigas de mis tías me llevaron al estreno de «Don Juan Tenorio», un dos de noviembre no sé si recordado de lo que me contaron o recordado de mis recuerdos, con el farol del tílburi danzando en la niebla invverniza, y todos los santos, inocentes o no, con túnicas barrocas como la sotana episcopal de don Marcelo, y los fieles difuntos, con sudarios de blancor y miedo, llenando las calles antiguas, empedradas y esquinadas de mi ciudad. Por el cristal húmedo del tílburi o por el hombro de Judas, el cochero —¿había estado Judas alguna vez a nuestro servicio?—, entreví aquel carnaval de noviembre, la pululación nocturna y mortuoria de la ciudad, con borrachos en las esquinas que cantaban La Bien Pagá, la Salvaora, la Niña de Fuego, la Malvaloca y otros andalucismos castellanos.

Como luego, en el teatro, mareado de proscenios, luces y sombreros, vi un drama diminuto y romántico, un Tenorio circular y breve, en los gemelos de mi abuela, que eran de nácar blanco, tornillito de oro y cadeneta. Un enredo largo y confusísimo de monjas, espadachines, recitadores, estatuas y criados, luz de donde el sol la toma, hermosísima paloma privada de libertad, y yo tenía ganas de salir a hacer pis, no es verdad, ángel de amor, que en esta apartada orilla más clara la luna brilla y se respira mejor, hubo dos o tres descansos, pude hacer pis, tomar vasos de leche y recitarme algún verso del Tenorio a mí mismo, a ver si se me quedaba.

El escritor salió a escena varias veces, saludó, dijo discursos, cosas, era aún mucho más joven de lo que era, le vi dueño del escenario, grande, como disfrazado también, al igual que los actores, casi un personaje más, y le vi diminuto, lejano, hombre-insecto en el ojo de pez de los gemelos. Comprendí que una gran gloria literaria podía reducirse a una mosca discurseante con sólo aplicarle otra lente. También vi la obra y las caras enormes, ante mí, forzando el tornillito y la parte gruesa de los gemelos y asistiendo así al primer cine de mi vida, inventado de ese modo. Valladolid, en el gran vestíbulo del teatro, era una girándula de chisteras, pañuelos en desbandada, luces que estallaban en los espejos, como astros finales, y escotes blancos de mujer o finas espaldas adolescentes, en forma de corazón femenino, que tardé mucho en olvidar. Ahora, sus craquelados ojos de viejo veían quizá en la sombra del prostíbulo el mismo recuerdo brillante y dudoso que veía yo. Una misma fantasmagoría de gloria y mujeres se alzaba entre ambos, nos unía y nos separaba. En los recuerdos no aparece nuestro pasado, sino otro presente nuestro que ignoramos.

EL cuatro de noviembre de 1932, don Manuel Azaña daba un mitin en Valladolid. Recuerdo que todavía las cajas de cerillas tenían la bandera republicana. Aquel mismo día llegaba a casa de la Formalita y la doña Nati una nueva huéspeda, María de la Escolanía, mujer bella y pálida, fina y casi elegante, que iba a ocupar la estancia aparte que fuera — ay — de Luna.

María de la Escolanía, por sus modales, su voz baja, su cutis y sus manos, era sin duda una de aquellas señoritas de familia trastornada por las guerras civiles y eternas de España, a quien alguna bomba habría destripado el piano y alguna otra bomba habría destripado al padre.

María de la Escolanía, perdida, sin otras artes que las manuales y domésticas del bordado y el piano monótono de quienes no saben piano, nacida para novia eterna de un comodoro de barco, siempre lejano y viajero, había elegido el amancebamiento (más bien el amancebamiento la había elegido a ella), no por instinto de prostitución, sino por necesidad de protección, por miedo, por cansancio, por debilidad, por hambre, incluso.

María de la Escolanía no iba a estar, pues, al servicio del primero que llegase, sino que su querido (entonces se decía así: querido y querida) la depositaba allí como en un convento, para tenerla segura y visitarla todas las tardes, o casi. María de la Escola-

nía estaba dulcemente tuberculosa, y esto se lo conocí en seguida porque había aprendido yo en mi madre
a adivinar la mórbida languidez, la bondad como
irreal de las bellas tuberculosas.

El querido de María de la Escolanía era un agricultor, un rico solterón, atezado y tímido, mucho mayor que ella, y que sin duda vivía con unos padres
adustos, o con una madre ya viuda, en la gran finca
familiar. El querido de María de la Escolanía trajo a
esta dulce mujer en tartana (previamente había estado en la casa a hacer el trato con la Formalita, claro),
y en la tartana, conducida por él mismo, aunque llevaba un mozo de cuadra sentado a su vera en el pescante, traía los baúles de María de la Escolanía, grandes baúles forrados de pelo, pequeños cofres de plata
o de madera (el más pequeño de todos lo portaba ella
misma en sus blancas manos de novicia), y comida,
mucha comida, manzanas, peras, pomelos, jamón,
longaniza, café del estraperlo, porque, a lo que se veía,
aquel señor la iba a tener bien surtida.

¿De dónde venía aquella tartana, de dónde había
raptado aquel agricultor con barro en las botas caza-
doras a la finísima señorita, cristalina como la hija
de un notario? ¿Y cómo se podía raptar en tartana
—una tartana como de repartir la leche— a tan en-
cantada y encantadora princesa?

Pero observé que el agricultor (que tenía un bigotillo como los de Hitler, Franco y Charlot), trataba a
María de la Escolanía con una ruda delicadeza, con
una lacónica y torpe ternura, con un respetuoso amor.
Me tocó, naturalmente, ayudar a bajar trastos y lle-
varlos donde en otro tiempo no tan lejano, o muy lejano —ay—, había llevado los tesoros hebreos de
Luna.

María de la Escolanía estuvo fina con todo el mundo, trató a las putas como a señoritas de internado, y
se preocupó de que yo, niño, no cargase cosas excesi-
vamente pesadas. Pero allí no iba a haber misterio ni
amor, deduje en seguida, como en el caso de Luna.
Sólo un agricultor que lo llenaba todo de barro, para

indignación de las alcahuetas, y no se quitaba jamás el sombrero, no sé si por timidez, por osadía o por ambas cosas, si es que no son la misma. El agricultor se fue en la tartana, fumando y dejando las riendas al criado, pues, depositada la preciosa carga, ya no debía parecerle hermoso ni necesario conducir él mismo.

A María de la Escolanía era como si la hubiese traído el lechero.

A pesar de que venía febril, cansada del viaje, enferma, María de la Escolanía quiso hacer la primera comida en compañía de todas. María de la Escolanía se limpiaba mucho el pico de la boca con el pico de la servilleta.

La doña Nati había estado en el mitin de Azaña:

—Azaña ha dicho que España ha dejado de ser católica.

—Eso no irá por mí, que sigo haciendo las caminatas a San Nicolás.

—Azaña habla en general, mujer.

—Que una es puta, pero decente.

—Si los curas y frailes supieran la paliza que les van a dar.

—Subirían al coro cantando libertad, libertad, libertad.

Y casi todas las pupilas se soltaron a los postres con el himno de Riego. María de la Escolanía, con la cabeza baja sobre una taza de té, jugaba en sus manos, silenciosamente, una cruz menuda y antigua, de pedrería, que le colgaba del cuello, sobre el escote en pico, y llegó a apretar su puñito blanco, con rabia o fervor, sobre el crucifijo, como si quisiera clavárselo en la carne.

La vida de María de la Escolanía en la casa, en seguida se hizo rutinaria y tranquila. Muy de mañana llegaba un criado joven del querido de María de la Escolanía, un mozallón rubiasco, redicho, regordo y alto, que traía una cesta con huevos, leche, carne, todo muy fresco, todo recién puesto por las gallinas, recién ordeñado de las vacas, arrancado de la res, porque María de la Escolanía tenía que llevar un régimen especial de alimentación contra su tuberculosis voraz y porque el agricultor había llegado a ese acuerdo con la Formalita. Sólo aquel primer día había comido ella de lo nuestro.

Claro que María de la Escolanía iba repartiendo con todos, con todas. Había un ir y venir por aquel patio/jardín, en tiempos solitario, infrecuentado, encantado como un dragón verde por la princesa de la fuente. Las putas iban y venían, como las hormigas en torno al hormiguero, con un vaso de leche, una taza de café de estraperlo, un huevo fresco en la mano, una libra de chocolate o un poco de carne envuelta en un periódico y luego en el delantal.

Carmen la Galilea (que era de las menos pedigüeñas, por supuesto), cruzando el breve patio/jardín, a la luz de la mañana, que cantaba en la fuente, con un huevo blanco en el seno, centrando su humanidad ancha y rubia, era una visión como renacentista, de un Renacimiento salvaje y espontáneo, que jamás olvidaré.

Quiere decirse que el hambre comenzaba a apretar también en la invicta zona nacional.

A segunda hora de la tarde, cuando los vencejos volaban bajo, dejando un rastro de sombra en cada cosa, llegaba el agricultor, silencioso y fatigoso, con sus botas embarradas de recorrer las fincas todo el día. Apenas hablaba con nadie. A mí nunca me dio propina. Se encerraba en el cuarto de María de la Escolanía, y de allí sólo salía a medianoche. Tomaba su tartana, que había dejado sujeta a un farol por la brida de la jaquita, junto al altar de la beata/usurera doña Laureana, y se volvía a su lejano pueblo, que quizá fuera también Mayorga de Campos, como el de los mozos alborotadores y sementales que nos habían visitado durante siglos. ¿Qué hacían tantas horas juntos, la Dama de las Camelias y el jardinero u hortelano de sus camelias, que no otra cosa parecía aquel terrateniente, latifundista de pardos e ignorados latifundios maternos? ¿Hacían el amor, charlaban, no tenía él miedo de contagiarse la tisis? Una vez que María de la Escolanía tuvo un vómito, estuvo muy grave y el doctor Cazalla le mandó reposo absoluto, yo, que había subido con una medicina de la farmacia, en vaso tapado con un papel, encontré al agricultor —suelas de barro— arrodillado junto a la enferma, que dormía o deliraba. Le tenía cogida una mano y, en un vislumbre en que volvió la cabeza, le vi, a la luz de mariposa de la lamparilla casi mortuoria, un llanto duro, blando, sordo, por los ojos pequeños y rojos, por la cara de tierra y el bigote de Hitler.

El moro Muza, mi viejo amigo don Muza, se estaba ya casi todo el día y toda la noche en los buhardillones, en su camastro, fumando kif, bebiendo vino negro de Toro, durmiendo y roncando a lo moro. Si don José Zorrilla esperaba la llegada de Franco a la ciudad como una renovación de su gloria de gran poeta católico y de derechas, el moro Muza, ¿qué es lo que esperaba en aquella casa, donde ya todas las mujeres se negaban de una manera u otra a yacer con él, aparte de que a él cada vez le apetecían menos? Esperaba también, quizá, la llegada de Franco y el triunfo nacional para reincorporarse a la escolta del Caudillo con todos los honores de una guerra que no había hecho. Pero tenía el alma cada vez más confusa.

Yo a veces subía a verle y le preguntaba historias:

—¿Y cómo es que los moros se han reconciliado ustedes con el Tercio, don Muza?

—Tersio cabrón, Tersio cabrón...

Era toda su respuesta. «Tersio cabrón.» Por aquel estribillo veía yo lo artificial y caedizo de la unidad impuesta por Franco. Aunque Franco tuviese una escolta mora, los moros, en cuanto se emborrachaban un poco, recordaban África y el enemigo natural que allá habían tenido.

—Tersio cabrón, Tersio cabrón...

Todas las otras unidades y uniformidades inventadas por Franco debían tener, más o menos, la misma solidez que la impuesta sobre moros y legionarios. Allí no había otro punto de confluencia que el propio Franco. Y ni siquiera Franco como ideología. Y ni siquiera Franco como hombre.

Sencillamente, Franco como general. Como Generalísimo.

—Tersio cabrón, Tersio cabrón...

Pero aquella mañana la Peseta andaba como una gallina a la que han robado los huevos a medio empollar, picoteaba su desazón por toda la casa, subía y bajaba escaleras y preguntaba por David el bestia, por su David, que cada vez iba estando más claro que pudiera ser hijo suyo, secreto que ella no decía.

—Francesillo, ¿y David, que no le encuentro?

Al final lo encontró. Yo no decía nada, aunque me lo estaba imaginando. David el bestia, codiciado por el moro Muza desde que Oscar Pérez-Solís y su celestino desnalgado lo sodomizaron, debía haber acudido al reclamo del moro por codicia, por ignorancia, por vicio, por el kif, por el vino o por todo a la vez.

Allí los encontró la Peseta, en los buhardillones, el moro trajinando como podía a David el bestia, y la puta, armándose de la cimitarra ciega que el moro tenía colgada del techo, empezó a darles a ambos de plano en las partes pudendas, pecadoras, desnudas (morenez sucia y acumulada del moro contra la blancura granujienta del tonto).

—¡Marranos, mariconazos, gentuza! ¡Este moro de mierda, asesino, bujarrón, maleándome al David, dándole por retambufa! ¡Moro tenía que ser, infiel, sarraceno, abusando de un infeliz!

Las mujeres acudían a los gritos, escaleras arriba, y yo entre ellas.

Hubo que separarles, hubo que hacer partes. David se recomponía la ropa contra la pared, de espalda, con pudor y temor. El moro camastrón ni siquiera se puso de pie, sino que guardó toda su charcutería sexual en las grandes bragas, a la vista del personal. La Peseta iba y venía, se hacía y deshacía el lazo de la bata, tenía el escote rojo y las manos como crestas de gallo.

—Bájatelo al David —dijo la doña Nati—, y se acabó la querella. Usted, don Muza, no me baje al salón para nada, en unos días. Francesillo le subirá comida.

El moro se perdía en un remoto paraíso de kif y arabesco. Se había difuminado en una nube de humo. Era una cosa así como de Las mil y una noches, pero todo olía a mierda. La Peseta le bajaba las escaleras a David el bestia, a tortazos y patadas en el culo. Las meretrices reían del caso, retirándose, pero pronto les vino la reflexión ensombrecida:

—Este negro nos lleva a la ruina.

—Es un asesino en casa.

—Ya estuvo bien con lo de doña Laureana.

—Ese caso ni mentarlo.

—La puta que lo parió.

La Peseta encerró a David el bestia en su habitación, no recibió clientes en todo el día y de vez en cuando se oía un grito de ella, un aullido doloroso de él o una insólita e inesperada copla de la radio. A media tarde me mandaron subirle un plato de judías con lentejas al moro. Se lo dejé al lado del catre y al salir le miré de refilón en un armario de luna desguazado: era un bulto de humo, una sombra de sangre, una quietud oscura y brillante en la penumbra de los buhardillones.

Tuve miedo, de pronto, y bajé corriendo la escalera.

Por la noche, en la cama, con la desazón de lo ocurrido o por el picor de la primavera que venía, yo no conseguí dormir, y en mi entresueño oía, una vez más, los pasos del Conde de Ribadeo, que había elegido quizá aquella luna semitemplada para airearse. Sus pasos eran más recios y frecuentes que nunca. A altas horas hubo ruido y voces de mujer por la casa. Me levanté en cueros, me eché la sotanilla por encima y salí a ver qué era.

—El Conde de la hostia, que esta noche no nos deja dormir a ninguna.

—Don Ribadeo, que está como inquieto.

—La fantasma, hijo, la fantasma.

Las putas estaban entre asustadas y burlonas. Alguna miraba pegada a los cristales, sin atreverse a salir al balcón, por el relente, por el miedo o por el relente del miedo. De pronto se oyeron pasos pesados que bajaban de los buhardillones. El moro Muza. Y traía su rifle de espingarda, el que le había servido primero para matar legionarios del «Tersio cabrón» y luego para matar rojillos en defensa de los legionarios.

—¿Adónde va don Muza tan armado?

—Conde cabrón moro mata moro duerme moro jodido.

Estaba borracho de tinto, de kif, de soledad, de crimen, de sexo, de odio. Cargó la escopeta ante todos nosotros y salió a uno de los balcones del primer piso. Las meretrices se arremolinaban tras él. Alguna corrió a los adentros de la casa para echarse un ropón por encima, que dormían desnudas o casi, y tenían en la carne el frío del miedo y el frío del frío.

Yo me fui al balcón de al lado, solo, para ver lo que hacía el moro. Los pasos fantasmales del Conde de Ribadeo, del invisible noble que daba nombre a la calle, se aproximaban en un vacío de astros y respiraciones. Era un pisar creciente. Entre las putas del balcón hubo un suspiro y un avemaría. Nadie pasaba la calle. Los pasos sonaban como en el cielo. El moro se había echado el fusil al hombro. Gravitaba grande expectación de mujeres desnudas, escopeta cargada y noche de luna. Se vio como la sombra de una sombra pasar ante la lamparilla del altarcito perenne de doña Laureana. El moro hizo dos disparos que me sonaron casi suaves. Hubo un fracaso de cristales. La urna de la beata saltaba en añicos. Don Muza había vuelto a matar a la vieja. Pero en la acera había un cuerpo boca abajo. Corrí a la calle el primero, y tras de mí las niñas, y el último el moro, con el fusil humeante, caliente y casi confortable. La Formalita dio vuelta al muerto con la puntera de su chinela Imperio. Era el doctor Cazalla, con las gafas rotas y mucha sangre en la cara muerta. El viejo doctor masón y tránsfuga que tanto me había atendido el oído y otros males en mis dos vidas, en las muchas vidas de mi vida. Supe que me esperaba trasladarlo a Tablares por los pies, mientras el moro le cogía por la cabeza. Un rojo muy buscado. Nadie diría nada. Pero la muerte seguía rondando la casa. Arteta, doña Laureana, el doctor Cazalla. Teníamos la guerra dentro. El Conde de Ribadeo no se paseó nunca más por las callejas del cielo.

CARMEN la Galilea llamaba la lechada al semen.
Carmen la Galilea tenía la superstición de la lechada,
una superstición a favor, no en contra, y así como había la que creía que iba a quedarse embarazada porque un hombre orinase en la tapia de su casa, había
las que (en menor cantidad, claro) pensaban que la
lechada lo curaba todo. No sabían ellas, altas damas
de la casa/palacio de mi abuela o meretrices, hurgamanderas y putarazanas, que por aquellos mismos
años un señor algo así como alemán, pero no exacta-
mente alemán, estaba estudiando en Viena las cuali-
dades del semen como instinto de la vida, frente al
instinto de la muerte, que por lo visto también llevamos en la sangre.

Y no digo en la sangre por decir, sino que efectivamente en la sangre, en los glóbulos rojos, que siempre quieren escaparse, abandonarnos por cualquier
llaga de cualquier costado (en las mujeres, por la llaga
permanente), en la sangre es donde veía aquel don
Segis, que así se llamaba, el instinto de muerte, me
parece: en la sangre y en el afán de derramarla, bien
sea la de conejo de monte, perdiz roja, enemigo carlista o liberal, esposa de clavel y adulterio o novia de
muchos novios. Frente al instinto de muerte, rojo, el
instinto de vida, blanco, el semen, la lechada.

Si Carmen la Galilea hubiese leído un poco los pe-
ródicos del salón, sabría por alguna noticia que aquel

214

don Segis, cuando se vio amenazado de muerte por un cáncer de cara, aparte de taparlo con la barba, recurrió al sexo y sus industrias para luchar con la máquina del vivir contra la máquina del morir.

Hasta el Diario Pinciano de don Francisco Perillán traía alguna noticia de aquel raro doctor austríaco o australiano (eso no estaba del todo claro) que investigaba lo que sueña uno por la noche y lo que fornica uno por el día, o a la inversa, que también podía ser. Carmen la Galilea, sin ninguna de estas luces, sabía por tradición familiar (quizás ella era de Mansilla de las Mulas, provincia de León) que la lechada era buena.

De modo y manera que siempre que le caía un cliente fornido, de buen ver, sano de aspecto, ya fuese falangista o masón (la Carmen pensaba que todas las leches eran iguales, y en eso tenía algunas razones), procuraba hacerle la felatio, como llamaba el sacristán de mi parroquia al hecho de que alguien se metiese en la boca la picha de alguien.

Supongo que lo de felatio, que seguramente no se escribía así, era alguna cosa que el sacristán había robado del latín y se cuidaría muy mucho de hablar de ello delante de don Agustín, el párroco, o don Luis, el coadjutor. Pero desde que yo le había oído lo de la felatio, y supe lo que era, y nos dijo el sacris que venía del latín, me imaginé ya siempre a los latinos en una felatio o gran mamada general, indiscriminada, grandiosa, mujer a hombre, hombre a hombre, varias a uno, una a varios, y así, con lo que quedaba muy explicada para mí la inexplicable caída del Imperio Romano y eso que los historiadores del colegio llamaban la decadencia, que ya me parecía haber visto por la lucerna de la escuela, donde tantas tardes viera yo pasar la Historia Universal en una verbena giratoria de reyes godos, romanos viciosos, romanas putas, vikingos con antorchas, fascistas con arpa, Ulises con arpón y Santiago Matamoros arponeando rojos.

El sacris hacía felatios.

Quiero decir que el sacristán/campanero/organista/limosnero/recadero/demandadero se la mamaba, se la chupaba, se la refanfinflaba a todos los niños que se dejaban, mayormente monaguillos o gorditos rubios que iban para mártires o santos inocentes degollados por la horda roja.

—¿Como don Oscar Pérez-Solís?

Como don Oscar Pérez-Solís y Culo Rosa, como Lirio, que ya sin piernas ejercía mejor el vicio, no teniendo que arrodillarse, que su mutilación le dejaba a la altura de las circunstancias. Como el moro Muza.

—A lo mejor, mi sacris es que creía, como tú, en las bendiciones de la lechada — le decía yo a Carmen la Galilea.

—Buen bujarrón estaba hecho tu sacris, Francesillo.

Carmen la Galilea lo hacía bien, con labios, lengua y paladar, sin que interviniesen para nada los dientes ni las muelas, como hacen las que no saben o no les gusta. Carmen la Galilea gustaba, naturalmente, de la lechada de hombre joven o casi niño, como era mi caso, y así como siempre le huí con santo horror a las peticiones y persecuciones del sacris, que pagaba el favor en pan de hostias, del que había resmas en una cómoda de la sacristía, en cambio me gustaba aquella manía de Carmen la Galilea, y me dejaba yo hacer hasta que la vegada venía en su boca, y no desperdiciaba ella gota, ni mucho menos hacerle ascos, que aparte la satisfacción carnal en que se la veía, estaba lo saludable del alimento, corroborado mucho más tarde por la ciencia, intuido siglos ha por las genealogías de la prostitución.

—Tampoco me seques, Carmen, que me voy a poner tísico.

Carmen la Galilea, llena que era de gracia, vivió siempre joven y sana, con su color de rosa y su anchura de lecho, gracias según ella a la lechada de hombre, gracias a las gracias, gracias a lo que fuese.

216

Para mí, una madre, una amiga, una amante, una puta deleitable, un amor. Alguna tarde, alguna noche que pasábamos juntos en la cama, con el gato echado a los pies, o enredando ella en sus plumieres de colegiala (ya ni se acordaba si alguna vez había ido al colegio), donde guardaba hilos de color nunca visto (un poco como las maravillas, ay, de Luna y sus estuches, pero en pobre, en criada, en moza de pueblo), botones de un nácar que tampoco se usaba ya, o de cristal tallado, como joyas, sellos de correos de todas las guerras, porque sus fornicantes la habían escrito siempre (la Carmen no era para menos, mujer inolvidable), y repasábamos la colección: últimos de Filipinas, legionarios de África, liberales, cristinos y carlistas, rayadillos de Cuba, sellos morados de la Segunda República Española, sellos con Franco o el Cid a caballo.

(Parece que la Falange nunca llegó a estampar sellos, y eso podría ser un signo de su falta de poder real o su poca vocación de Estado, pues lo primero que tiene que hacer un Estado, siquiera en proyecto, es crear su filatelia, que es su mitología pedánea).

Carmen la Galilea gustaba de recortar el cuadradito de postal (casi siempre eran postales) en que venía el sello:

—No quiero guardar las postales, como una madrina de guerra. Eso es manía de señoras finas.

Pero yo había visto aquellas postales, u otras, dirigidas a mi madre, a mis tías, a sus amigas. Postales sepia o azul ceregumil, con un moro subido en un camello, con una morita de cántaro y ojos ignorantes por encima del velo, con un español matando a un filipino en un cocotero, o quizá a un cubano, o quizá a un rojo. Los sellos, las postales, eran la eterna carta del frente, la vieja postal de España, el tarjetón de la guerra civil, colonial, religiosa, intemporal, porque morían y morían españoles sólo para que las putas y las señoritas llenasen sus plumieres, estuches y gavetas con macillos de cartas y postales donde el tiempo iba borrando sucesivamente la pólvora, la sangre y, por fin, la caligrafía del héroe.

De tanta reflexión histórica me curaba la Galilea con una vegada a tiempo, coito que ella conducía, o con una felatio larga y cálida que la dejaba abierta, tendida y despabilada como una era muy visitada por los luceros.

PARA uno de los dos guarda esa copa de la callada eternidad la llave. Hacía frío en Valladolid. Y por entre la niebla arrebatado huyó el fantasma y me dejó aterrado. Hacía mucho frío en Valladolid. Nada hay en mí que tu maldad abone, para ti sólo hay odio en mis entrañas. Hacía un frío de cojones en Valladolid.

Yo me sabía versos enteros de don José, de oírselos recitar a solas. En 1837 se había revelado en Madrid recitando ante la tumba de Larra un poema contra el muerto — qué avilantez —, el mismo poema que repitiera, con modificaciones muy de poeta chapucero, en el Te Deum o funeral por Sussona y la beata doña Laureana, la usurera. Don José, desde la mesa del salón, se escribía con Espronceda, con García Guitiérrez, con un tal Hartzenbusch, y luego me mandaba a echar las cartas.

O escribía a su amigo Paco Elipe, diputado, poeta y terrateniente, que se había sacado esta cuarteta: «Aunque la ilación se quiebre, lo que no apruebo y resisto es el mal gusto de Cristo de nacer en un pesebre.» Pero vivía y moría amargado por la gloria de su Tenorio y los cuatro reales en que había vendido la obra:

—El Tenorio lo estrenó Carlos Latorre — recordaba.

Y nos iba contando. A Ciutti lo había conocido en el Café del Turco, de Sevilla, de donde ya traía él la obsesión vieja de Sussonna. Buttarelli le hospedó el año 42 en Madrid y le dio tortellini napolitanos. Quien no tiene carácter, quien tiene defectos enormes, quien mancha mi obra es don Juan; quien la sostiene, quien la aquilata, la ilumina y le da relieve es doña Inés; yo tengo orgullo en ser el creador de doña Inés y pena por no haber sabido crear a don Juan. Yo sólo me proponía actualizar El burlador de Tirso y luego me salió lo otro. Conmigo nunca quiso acostarse doña Blanca de los Ríos, por fidelidad al fraile.

Ahora don José Zorrilla estaba enfermo, porque en Valladolid hacía frío, mucho frío, un frío de cojones. Yo había asistido, en los espejos de mi otra vida y los espejos del Teatro Calderón de la Barca, al estreno del Tenorio en Valladolid, cuando Elvira o el morir de un siglo, contado por don Francisco de Cossío, yo había visto un Tenorio diminuto, una representación de insectos con vozarrones románticos y vocecitas monjiles. En los gemelos de mi abuela, colocados del revés, yo había disfrutado aquel drama zascandil de moscas que se movían en un redondel como de microscopio, y don Juan parecía un moscardón, un insecto de esos con aguijón, por la espada, y doña Inés parecía una mosca caída en la leche, y en mis oídos sonaban las voces altas, rimadas y solemnes de aquellas mosquitas. Ahora don José Zorrilla estaba enfermo y yo iba de la calle del Conde de Ribadeo a la de Santo Domingo de la Calzada, donde él tenía su casa, toda de terciopelos usados, velludillo sobre los muebles y cuadros ovales.

Le llevaba remedios de las putas, recados de los amigos, un poco de dinero para que pagase al práctico, al físico, al de las sanguijuelas. Así mueren los escritores en España, me decía yo, dispuesto a ser escritor, y lo que más pena me daba es que don José Zorrilla, poetón viejo y gloria de la derecha, no alcanzase la llegada de Franco a la ciudad.

La tos se lo llevaba.

La tos se lo llevaba a fornicar con Sussonna, la fermosa fembra, en un paraíso de orientales que él mismo había diseñado con sus ripios. La tos se lo llevaba a un infierno de condenados de piedra a disputarle eternamente la corona de laurel de oro a la beata doña Laureana, a la vieja doña Laureana, al sapo doña Laureana. La tos se lo llevaba ante el espejo de la nada, donde Mariano José de Larra le esperaba con una sonrisa y una blasfemia, por traidor.

Viejísimo sobre la almohada, descuidado de barba y melena, con manos violáceas y berrugueteadas que revolvían en los recuerdos de un tiempo viejo. Yo miraba por la ventana los huertos de la acera de enfrente, huertos tapiados, con árboles heridos por el viento, insultados por una primavera inverniza, por un mal cielo oscuro que venía de la calle Torrecilla. Esperaba que me diese su recado de vuelta, o una propina.

Su muerte fue una noticia nacional y su entierro una sentida manifestación de duelo. Como su vida había sido un tópico glorioso con remaches de oro, guardafuertes de ripio y colgaduras de teatro. Dado que se vivía ya en la ciudad un clima de victoria y exaltación nacional, el entierro de don José Zorrilla fue, en aquellos amenes de la guerra civil, la primera gran solemnidad involuntaria del nuevo Estado.

Al fin y al cabo, era lo que el viejo había querido. Pero le hubiese gustado mucho (yo le conocía bien) asistir a su propio entierro, presidir a pie su propio entierro, recibir el pésame por sí mismo, la salutación enlutada de los caudillos agrarios, los falangistas castellanos, los carlistas de La Rioja, los mutilados de Cuba, Filipinas y África, toda la épica española que pululaba por la ciudad.

Cuando el entierro de mi abuelo, aún los de la Institución Libre de Enseñanza, con don Francisco Giner a la cabeza, se habían defendido a bastonazos y paraguazos de José Antonio y los joseantonianos del mitin del cuatro de marzo, bajo el tiroteo de los pacos que había en los tejados. Cuando el entierro de mi madre, de mi abuela, yo había atravesado una ciudad fantasma con fusilamientos en las afueras. Ahora, en el cortejo fúnebre de don José Zorrilla estaban ya las grandes mitologías del nuevo Estado, o parte de ellas: Girón, la viuda de Onésimo, con dobles lutos, Sánchez-Juliá en sillita de ruedas, falangistas de Burgos y Salamanca, Giménez-Caballero, que llevaba preparada una prosa poética para leerla junto a la tumba de Zorrilla, jugando su viejo juego y recordando que Zorrilla también leyó ante el cadáver de Larra.

Había carlistas de boina roja, estaba Weiler a caballo, como recién llegado de Cuba, estaba el clero, don Marcelo González, el arzobispo de Valladolid, jefes del Movimiento, guardia municipal con plumero, flechas y pelayos, poetas locales tan deudos del muerto como Martínez Villergas y Emilio Ferrari, a quienes el viento encrespaba la chalina y devolvía a un romanticismo ya lejano. Don Nicomedes San y Ruiz de la Peña, el Rubén del Esgueva, que no se metía en política, había ido allí para leerle un rosario de cinco sonetos elegíacos al maestro. Detrás, el pueblo apretado, las clases medias, vagos uniformes de la guerra, las meretrices de la calle Padilla y la calle de las Vírgenes, que eran otras meretrices, mujeres sin precio ni clase frente al matriarcado de la Formalita, pero que querían adherirse ya al vencedor, que quizá iba a redimirlas colocándolas en la Renfe.

Digamos que con el entierro de don José Zorrilla afloró todo el fondo judío, gitano y maldito de la ciudad, como dándose por vencido e integrando ya la comparsería de la España nueva y en ruinas. Judas, vestido minuciosamente a la federica, no traía ya mensajes de mi padre en el sombrero de tres picos. Estaba en lo alto de su carroza mayor, condujo seis caballos negros con látigo suave y, tras él, una multitud nacional, devota, respetuosa y mezclada. En los balcones había colgaduras y banderas nacionales y colchas con el Sagrado Corazón de Jesús en papel rojo.

Yo iba junto a la doña Nati, la única de la casa que no había querido perderse aquello, y que tenía mucha conciencia de los acontecimientos históricos. Las otras, estaban ya muy hartas de haberle lamido

222

la llaga del cuello a la vieja gloria y yo creo que hacían fiesta de vino por su muerte. Vestido de Auxilio Social, yo iba como de paje pelón de la gran meretriz, que se había calzado peineta y abanico negros, y bajaba los ojos con devoción para no cruzar su mirada con la de altos, importantes y nobilísimos clientes de su alcoba púrpura. En el cementerio, mientras enterraban al muerto, se daban vivas a España y a Franco, y Giménez-Caballero leía algo sobre las castañuelas y la Virgen, yo me perdí curioseando los nuevos panteones, obra de don Rubén de Merino-Cerro, que remataban todos en un ángel con el rostro de Clara en mármol o piedra blanca.

A uno de los ángeles le toqué la cara suavemente.

Donato, el guarda jurado de la Casa de Campo de Madrid, el guarda monárquico que miraba el Palacio de Oriente a través de las encinas del amanecer, el que quiso tener amores con la hija de otro guarda, Francisca Sánchez, y la perdió por un poeta indio llamado Félix García Sarmiento, conocido en la Corte por Rubén Darío, Donato, el raptor de Lola del Oro, que la había llevado a caballo hasta Valladolid, en la grupa, pasando la línea de fuego de los republicanos, de los nacionales, de los carlistas, de los liberales, de los moros y los cristinos y cristianos, Donato aparecía aquella mañana, a pocos días del entierro de don José Zorrilla, entrando en yegua blanca por la calle del Conde de Ribadeo, cuyo espíritu ya había matado el moro en el cuerpo del doctor Cazalla, con mucha gloria de cascos contra los adoquines y mucho lujo de condecoraciones en la guerrera. Donato hacía la Cruzada vestido de guarda forestal, pero se ponía encima yugos, flechas, cruces, rosarios, sagrados corazones de Jesús y de María, fotos de Lola del Oro y de todos los reyes de España que habían cabido en la iconografía de su pecho. Donato ató el caballo al farol y el bicho miraba curioso la foto de doña Laureana, a través del cristal de la urna.

—Que vengo a por esa mala mujer.

Parecía una cosa de teatro. Donato tenía la cara rectangular, inexpresiva, un poco tostada por la guerra, la boca invisible y una como sombra de barba blanca muy afeitada. Las mujeres empezaban a levantarse, perezosas, y se le arremolinaron con deje y coña.

—Que vengo a por esa hembra, que hemos ganado la guerra.

En esto que Lola del Oro, desnuda y con mantón de Manila, como tenía por costumbre, bajando las escaleras con altos zapatos rojos:

—Gilipollas, pichafría, cara de mierda.

Se acercó a él despacio y le dio dos bofetadas limpias y secas. Hubo una tensión y un silencio. Las mujeres retrocedían. Y entonces se abrió una puerta de debajo de la escalera. La Gilda, preñada y con el sueño revuelto en los ojos, se ordenaba el moño y las enaguas:

—¡Me lo he tirado, me lo he tirado!

—A quién.

—Al lechero de María de la Escolanía. A quién coño va a ser.

La Gilda llevaba muchas mañanas acechando la llegada tempranera del mozo, cuando la casa dormía. Y al fin se lo había tirado, quizás porque a aquella hora no había otra mujer despierta. La Gilda señaló para la puerta de su chiscón. El mozo estaba durmiendo. Pasaban demasiadas cosas. Donato, de pronto, tuvo un gesto incoherente que debía parecerle a él muy palaciego:

—Tanto gusto, señora.

Estrechó la mano a la Gilda y luego se dobló para besársela. Lola de Oro se estremecía de risa y frío bajo el mantón de Manila. El joven lechero salía del cuarto de la Gilda abrochándose el pantalón. De puertas y escaleras iban surgiendo los mozos de Mayorga de Campos, que habían pasado allí la noche y espabilaban al despertar de las meretrices:

—¡Pero si es el Talego!

El Talego, amante de la Gilda, lechero de María de la Escolanía, criado del misterioso señor que venía a verla, se fumó un cigarro con los de su pueblo, mientras Donato y Lola del Oro discutían en un rincón. La Gilda se cogía a su lechero en camiseta como una novia de pueblo tras la primera noche.

—Una mujer que tiene aquí depositada el amo. Le traigo leche y huevos todos los días — explicaba el Talego.

—¿Una mujer para él solo? — decían los mozos.

—Si es de la casa, también es nuestra.

No se sabía si los mozos empujaban al Talego hacia el patio o él les conducía a ellos. Estaban ya todos a mitad de camino hacia la casita aparte que había sido de Luna y ahora era de María de la Escolanía. Alcancé en el aire una mirada tensa y eléctrica entre la Formalita y la doña Nati.

—Si es de la casa, también es nuestra — repetían los mozos de Mayorga, quizá dispuestos a una violación colectiva y mañanera, a expensas del dueño de todas las tierras del pueblo que no eran de los frailes.

Tapaban la fuente del centro con su acumulación. Las mujeres iban tras ellos. Pero el agricultor, el terrateniente, el amante de María de la Escolanía, bajaba despacio los escalones de madera que descendían al patio/jardín. Había pasado la noche con su amante enferma. Calzaba botas de caza. Avanzó despacio hacia los mozos. Su rostro era una vaguedad rojiza entre el sombrerete calado y el bigotillo. Uno y otros quedaron quietos. La fuente era la frontera y sólo su susurro mantenía en alto la mañana.

—¿Adónde vais, gañanes?

El silencio olía a establo. El Talego se había puesto a la izquierda de su amo. Donato se puso a la derecha y posó en el suelo la culata de la escopeta que hasta entonces había llevado al hombro.

—¿Adónde vais, gañanes? ¿A abusar de una mujer decente, desgraciada y enferma, de una mujer educada, de una señorita a la que no deberíais ni besar los pies? Cabrones, gentuza, rojos. La guerra ya está ganada y se acabaron vuestros abusos. Cada uno su caballo y vuelta al pueblo. Y no me jodáis ya más.

La voz de aquel hombre era débil, indignada, una

voz llena de ira, pero sin registros para la ira. Donato se había puesto la escopeta al nivel de la cintura. Los mozos retrocedían. Las mujeres reculaban. María de la Escolanía, en su lecho de amor y ahogos, seguramente no se había enterado de nada.

—¡Talego, traidor!

La Gilda había gritado como una gallina indignada. Al grito, pareció que los mozos entraban de nuevo en cerrazón de hostilidad y pana. Eran una docena larga de gañanes, braceros y viñadores.

—¡Talego, traidor!

Las mujeres se llevaron para dentro de la casa a la Gilda, más histérica por la rápida pérdida del amante que por la tensión del momento. Pero tensión había, y la fuente olvidada volvía a ser, con su surtidor tosco, el rumor que mantenía en vilo la mañana.

El moro Muza, bajando de los buhardillones por la parte trasera, se ajustaba lentamente la gumía al vientre y traía cogida con las dos manos su escopeta de espingarda, con la que había dado muerte al Conde de Ribadeo, al doctor Cazalla y quién sabe a cuánta gente más. Sin duda, el moro lo había visto todo desde arriba. Venía con todos sus dijes, condecoraciones, estampas, medias lunas, rosarios y cosas, a más de la foto de la valenciana que le había querido tanto, irreconocible ya en la cartulina como una fallera mayor que hubiese ardido ella misma en las Fallas.

El moro se puso detrás del terrateniente, a unos pasos de distancia, también presto para atacar a los mozos o disparar sobre ellos. Yo veía unos brillos de hojalata en lo alto de su turbante, por encima del sombrerete del novio de María de la Escolanía:

—Cada cual su caballo, paisanos. Ya habéis oído al amo — dijo una voz del grupo, con autoridad y resignación.

Pareció que el terrateniente daba un paso adelante, sin darlo. El grupo de mozos se iba disgregando por el interior de la casa. El agricultor/cazador avanzó despacio, flanqueado por Donato y el Talego, seguidos los tres por el moro. El señorito se sentó en el salón a fumar. La alcahueta de la radio le trajo un café. Donato, el Talego y el moro Muza hacían guardia en la puerta de la calle, y los mozos tenían que pasar entre ellos y sus armas. Se fueron en mulas, yeguas, caballos y algún pollino. Ahora los cuatro hombres estaban sentados a la mesa, desayunados por las alcahuetas. Yo tuve que llevarle al novio de María de la Escolanía un vaso de agua que me pidió. De los altos de la casa, por el hueco de la escalera, llegaba de pronto la voz riente, madrileña y chula de Lola del Oro:

—Donato, pichafría, Donato, tío mierda, Donato, cabrón.

EL Diario Pinciano, primer periódico de Valladolid, nace en 1787, con todo el viento de la Ilustración, la Enciclopedia y el XVIII soplando en sus velas de papel, en sus aspas de molino castellano.

Se subtitulaba histórico, literario, legal, político y económico. Se publicaba en Valladolid los miércoles de cada semana, de modo que el miércoles era día de gran afluencia de clientes/lectores a la casa de la Formalita. Los poetas locales, los políticos, los liberales huidos del franquismo/carlismo, se refugiaban allí a hojear el semanario, y no todos se demoraban después en echar una vegada con alguna de las placenteras mozas de lenocinio. Un día estaba yo leyendo en el Diario Pinciano esta hermosa esquela mortuoria (las esquelas les gustaban mucho a las putas y me hacían leérselas en voz alta, pues tenía mejores letras que muchas de ellas: «Ayer Martes 24 a las tres y cuarto de la mañana falleció en esta ciudad a los 25 años de edad la señora doña María de la Cabeza Dávila y Dávila, Marquesa de Torreblanca, habiendo recibido todos los Santos Sacramentos, y causando general sentimiento su temprana muerte.»

Era fascinante, para las meretrices y para mí, que una señorita pudiese ser Marquesa de Torreblanca o de algo a los veinticinco años de edad, y era fascinante esa repetición del apellido, Dávila y Dávila, que hablaba de emparentamientos cercanos, de amachambramientos de una sangre a su misma sangre, y era fascinante el Torreblanca, título nobiliario como de novela, que a mí me hacía ver todas las torres blancas de los pueblos castellanos, como las había visto viajando en burra con mi abuela y la señora de Pardo Bazán, o en el tren de vía estrecha de Rioseco. Aquella muerta, paseándose con sombrilla, volando con su sombrilla por entre las torres castellanas, con cigüeñas, de que era marquesa.

También a la casa/palacio de mi abuela llegaba el Diario Pinciano todos los miércoles, y era el mismo periódico como una cigüeña hebdomadaria de papel con alas de noticias y pico que le salía al doblar las grandes páginas góticas, y primero lo leía mi abuela, mirando a ver si había algún artículo de su amiga doña Emilia, y luego lo leía mi abuelo, felicitándose de encontrar un artículo de su amigo Francisco Giner de los Ríos, y luego mi padre, diciendo que aquel periódico mejoraba de semana en semana y era una especie de Times castellano, y luego mi madre, que buscaba la crónica de los estrenos de Greta Garbo, Sarah Bernhardt e Isadora Duncan, y luego mis tías, que buscaban entre los anuncios de los soldados que pedían madrinas de guerra, para ponerse de madrinas con un requeté, un último de Filipinas, un teniente de Cuba, un falangista, un liberal, un capitán moro, un herido de la Legión o un marino, según el corazón político de cada una.

Después de la primera carta venía el entrecruce interminable de postales sepia, con salvajes desnudos o moras veladas, por parte de él, y torres de España (la Giralda, las de la Sagrada Familia, las de la catedral de León, etc., por parte de ella). Finalmente, el periódico lo leía yo, extendiéndolo en el suelo y echándome encima, porque si no me dominaba. En él aprendí mucha gramática, mucha vida y mucha gramática de la vida. Dicen los que hacen fichas que el periódico duró un año, pero duró toda mi infancia.

En el salón de lectura y espera de la casa de la Formalita, le oí decir a Núñez de Arce en aquellos amenes de las guerras invictas de Franco:

—Las barricadas eran cosa de Víctor Hugo. Cosa revolucionaria, ciudadana y atea. El monte, el campo, son cosa agraria y cristiana. Toda nuestra juventud falangista y tradicionalista se ha echado al monte. El monte era cosa de Zumalacárregui.

Núñez de Arce, que trataba de hacer un poco las veces del desaparecido Zorrilla, se ponía luego de rodillas en la tarima y recitaba, transido por el rayo de sol del ventano, que le sacaba todos los lamparones del chaleco, uno de sus sonetos a Dios, llenos de falsa contrición, duda retórica y arrepentimiento final. Aquel hombre, pensaba yo, no tenía la música del poeta muerto. Pero su voz de trémolo y pecado quedaba en el clima de la estancia, con el olor acre y turbador de la tinta reciente del Diario Pinciano.

—Que te levantes, Francesillo, que te van a llevar otra vez de señorito.

Era Carmen la Galilea, madre, amante, amiga, criada, ama, amor, que me despertaba en una mañana de abril, subiendo a mi buhardillón.

—¿Qué es ello, Galilea?

—Que tienes a Judas abajo, con la carroza, esperándote ya.

—¿Es que me he muerto, Galilea?

Rió fresca y me dio un beso.

—Los muertos no la tienen tan tiesa, hijo mío.

Me ayudó a lavarme y vestirme.

—Te llaman de tu otro mundo, tú eres un niño bien, Francesillo, tú eres Paquito, el nieto de doña Luisa, y seguramente te van a vestir de velludillo. Que te vas, Paquito.

La Carmen quizá lloraba mientras me lavaba las orejas, hurgándomelas mucho.

—¡Ay, Carmen, que me haces daño, coño!

—Te quieren bien limpio, y no digas esas palabras, que ahora te quieren fino.

En la calle se oían los cascos de los caballos. Judas debía haber enganchado por lo menos cuatro. Sí, la gente de mi otra vida, las gentes de mi familia sabían que yo estaba allí, de monaguillo de las putas, pero nadie me había reclamado nunca: la guerra y el egoísmo de aquel mundo —ay— que, según la Carmen, era el mío. Pobre hospiciano de la guerra. ¿Y para qué me querían ahora?

La mañana de abril era fresca y viva. La Galilea me arregló lo mejor que pudo y me despidió con un beso en la frente, como si no fuésemos amantes ni nada. En la portalada me crucé con el lechero de María de la Escolanía, que le traía a la bella tísica la leche recién ordeñada y los huevos recién puestos, desde Mayorga de Campos. Subí al pescante con Judas.

—Me parece que se te ha acabado la buena vida entre mujeres desnudas. Ya me ves a mí, que también me ha tocado conocerlas siempre desnudas, pero muertas.

—¿Adónde vamos, Judas?

No eran cuatro caballos, sino dos. La carroza no iba ataviada de fúnebre. Iba sin cruces ni angelotes ni alegorías. Corríamos ya por las calles estrechas de la ciudad, por donde parecía que el carro no iba a caber, llenando de chispas de sol los cristales de los miradores dormidos.

—Las amigas de las amigas de tus tías, que han pensado en ti, como el niño más rubio y más alto, para entregarle mañana un ramo de flores a Franco. Franco se queda en la ciudad, para un Te Deum, de paso para Madrid, que ya lo ha liberado.

Franco había pacificado España y el Imperio, desde el Pazo de Meirás, poniendo a don Agustín de Foxá, Conde de Foxá, de virrey del Caribe, tras ganar la guerra de Cuba, a Epifanio Ridruejo, del Banco Español de Crédito, de gobernador de Filipinas, haciendo a Millán Astray capitán de los Tercios de África, a Primo de Rivera señor de Alhucemas, a Weiler generalísimo de Cuba, y reservándose el trono de la Plaza de Oriente, en Madrid, siempre con el sol de espaldas para deslumbrar los ojos del visitante y mantenerse en la penumbra, como Felipe II.

Pero Franco estaba allí, en medio de un gran espacio sagrado, solo, sentado en un sillón de oro y sangre, delante de la multitud que llenaba la catedral, asistiendo al Te Deum en su honor y escuchando las palabras de don Marcelo González, cardenal primado de España, que estaba en el púlpito. Y yo, despertado aquella mañana, tempranamente, por Carmen la Galilea, trasladado por Judas a mi otro mundo en la carroza de los muertos, devuelto a mi casa/palacio, que era ahora una mezcla de oficinas militares, hospital de vagos, club de ex-combatientes y almacén de coloniales o economato.

Yo estaba allí y casi perdía la noción de estar en mi casa, me pasaron al cuarto de las modistas y me pusieron un traje de velludillo, elegante y antiguo, tras haberme fregado bien el cuerpo y el alma.

Vagas parientas de la familia, confusas tías, remotas criadas le daban estropajo a mi espalda, peinaban a tirones mi pelo, me vestían de almidón y luto. Yo me sentía un poco Cenicienta y un poco Bella Durmiente, vuelto a la vida o a la muerte, y sólo entre todo aquel personal reconocía bien a la Ubalda y la Inocencia, viejas criadas de la casa, huidas a tierra de lobos, con sus hombres, por salvar los rosarios de hijos de entre las múltiples guerras de España. En carroza, otra vez en el pescante con Judas, y ya con el gran ramo de flores en los brazos, tieso contra mi pecho, fuimos hasta la catedral herreriana y trunca, y las señoras bien, damas, madrinas, novias de guerra, nacionales, nobles, iban acomodadas en lo amplio de la carroza, como otras veces el muerto, sentadas en sus reclinatorios, que luego les servirían para arrodillarse en el Te Deum, puestas de peineta y rosario, puestas de devoción, nácar, bandera nacional, mantilla y crucifijo de oro entre los pechos, rosas victoriosas.

A mí me recordaba aquello, y ellas no podían saberlo, cuando fuimos a la Estación del Norte, con las putas, a despedir a los últimos de Cuba, y yo conocí a Ofelia, que me quería hacer tapicero de la calle de las Angustias, como su padre. Franco estaba allí, en el Te Deum, inmóvil en su trono, y todas las condecoraciones que le embarullaban el pecho, me parecían a mí las que le había visto a Zumalacárregui, cuando vivo, en el bar Cantábrico, con mis padres, a través de un vermú rojo.

Era como si Franco hubiese desenterrado el uniforme de Zumalacárregui para ponérselo, lleno de tierra y arañas de sepulcro. Tenía unas gafas negras, manoletinas, como las del torero Manolete, que empezaba a estar de moda y era el gran torero nacional y hasta se decía que había hecho tauromaquia con algunos rojillos detenidos. Franco se ponía y se quitaba las gafas, como un antifaz, en distintos momentos del Te Deum, con una mano temblorosa, herida, parkinsoniana, como mano de águila, que decían dañada

por un tiro, en batalla o cacería, o presa de enferme-
medad cruda. Yo, en la penumbra de junto al altar
mayor, como entre los bastidores de un teatro, lo miraba todo.

Hermanos, capitanes de España, prelados, santas
mujeres, españoles y españolas, tenemos entre nosotros, ante nosotros, al hombre providencial de la Patria, Francisco Franco, Caudillo de España, vencedor
en todos los frentes, héroe en todas las guerras, que
nos honra con un alto en su camino, un breve descan-
so del guerrero incansable para visitar esta ciudad
cristiana y esta catedral histórica, y el cielo y la tierra
se confunden en una luz cenital y gloriosa que baja a
bendecir a este soldado y sube del altar hasta el Dios
vencedor que hemos rescatado del enemigo interna-
cional, poderoso y ateo. Don Marcelo González, cardenal primado de España, hablaba y hablaba.

Yo, desde mi penumbra de velludillo, veía las am-
plitudes de la catedral, aquella luz de panteón cayen-
do sobre Franco solo, la complicada liturgia del Te
Deum, la palabra del predicador, casi visible, palpa-
ble, como un vuelo de lechuzas entre las lámparas de
las naves. Y la gran multitud, Mola, Sanjurjo, Millán
Astray con la camisa abierta, Girón, Fernández Cuesta, escritores vestidos de soldado, soldados disfrazados de zarzuela, don Fernando Martín Sánchez-Juliá
en su silla de inválido, como una bicicleta para un
muerto, muy en primera fila, Pemán con capote de
campaña, Núñez de Arce con la melena recortada, Leopoldo Cano, Emilio Ferrari, Martínez Villergas, y entre la franja blanca y negra de los moros, el moro
Muza, sucio y limpio, todo de condecoraciones, cruces, medias lunas y fotos valencianas, como si no hubiera pasado nada, y detrás la resaca negra de los lutos, el público solemne, rezador, encajes y fieltros,
sombreros y guantes, gamuzas y bayonetas, una ba-
yoneta, de pronto, entre el brumario burgués, bayo-
neta calada con un destello de oro de un velón. A la
izquierda, en rebaño candeal, dentro de una capilla,
prietas contra la verja negra y forjada, las monjas,

unas monjas extrañas y variadas, que empecé a reconocer porque ya me sabía la historia: huidas de los conventos las monjas verdaderas, con soldados y heridos, en mula o tartana. para joder en los pajares y las ventas, no se había encontrado en la ciudad otro grueso de mujeres que el de la Formalita, y se ordenó vestirlas de monja a todas, que el Caudillo tampoco iba a enterarse.

Federico García-Sanchiz disfrazado de un Alto Estado Mayor que fuera él solo. Federico de Urrutia, poeta de la Falange eterna, Ximénez de Sandoval, entresexuado, Yagüe, Queipo de Llano en mangas de camisa, y todos con un algo de entierro del Conde de Orgaz, pálidos y enjutos de guerra, con gola de luz catedralicia, la mano al pecho herido o condecorado, que venía a ser lo mismo.

Pero las monjas, las monjas. La Formalita con la cara sumida y las manos entreclavijadas, perita en oraciones de tanto hacerle las caminatas a San Nicolás de Bari, obispo de Mira, todos los lunes, que más de una vez la acompañamos David el bestia y yo. La doña Nati, de abadesa morena, de monja carnal con mucho lujo de rosarios. La Gilda, como lega o monja de torno, ocultando su eterna preñez bajo las grandes mangas del holgado hábito. Lola del Oro, como monja andaluza, irónica y grave, bellísima. La Peseta, también muy rezadora y mirando al cielo como gallina que ha bebido agua bendita. Hasta la Camioneta, sí, traída del loquerío, demudada como una iluminista, yo diría que hasta con los labios pintados, o quizá rojos de sangre, de las bofetadas que le daban los loqueros, y desde luego los ojos espantados. No sé si Infanta, de novicia. La Isabel, demasiado señora para monja. Carmen la Galilea, bella y rubia, extraña, como una de esas monjas chinas o moras que rebautizan los misioneros. María de la Escolanía, con la belleza tísica, la única que rezaba realmente, las manos en vuelo discreto de santiguamientos, como aves blancas volando en un cansancio.

Incluso las alcahuetas, de monjas viejas, que las

monjas de ciento cincuenta años seguían en sus huertos arruinados, cogiendo fruta podrida y sin enterarse de nada, como en su cielo, ya, de sol y desvarío. La palabra fuerte y abovedada de don Marcelo había cesado, del cielo bajaban cánticos del órgano catedralicio, tocado por el organista/sacristán/campanero/bujarrón de mi parroquia (era su viejo sueño: tocar en la catedral y para Franco), y por las inmensas y oscuras naves corría un incienso como una galernada de Dios.

Don Doménico, como un caballero de Pantoja en un espejo de esos que estiran la figura. Culo Rosa, de dandy feo, católico y homosexual. Donato, abrumado de uniformes nacionales sobre su uniforme forestal de guarda jurado. Giménez-Caballero, siempre con las gafas, el bigote y las botas como en el triple y múltiple desencajamiento de una personalidad mal montada sobre sí misma. Yo tenía contra mi pecho el ramo de flores húmedas y pesadas. Delante, la sombra profunda, geológica y teologal de la gran nave, como gruta del tiempo, y todo el personal, dignidades y generales, obispos y moros, beatas y legionarios, duquesas y carlistas, no eran sino una ola de tiniebla y anchura suspendida ante la luz vertical, inexplicable y panteónica que descendía sobre Franco como una cúpula, como toda la armonía oval del cielo.

Francesillo moría en mí, yo nunca había sido otro que Paquito, el nieto de doña Luisa, el niño de la casa/palacio, y el órgano de la catedral, tocado por el sacristán ya también intemporal, con sus nubarrones de música, me devolvía a un cielo burgués y transitable, como si jamás hubiera existido el recadero de las meretrices, paje de la doña Nati, niñodiós de Carmen la Galilea, cómplice del moro, novio de Clara, de Ofelia, de Infanta, cofrade de David el bestia, ministro de los gatos huidos, chico de las putas, pícaro en las picardías de Estebanillo González, siglos ha, enamorado de Luna y de Criselda, criatura de memoria mágica y rememorante en la Historia irracional de España. Franco — qué extraña burla — venía a rescatarme de la vida y el tiempo, de la intemporalidad donde fui libre (porque Franco había ganado tantas guerras para eso, para poner cada cosa en su sitio y devolver al mundo un ordenamiento de cementerio sólo justificado por aquella espantable música). Franco venía a situarme, a devolverme a mi clase, mi mundo, mi cronología disciplinaria y estrecha. Francesillo se diluía en Paquito, el niño libre, el niño/liebre de los tiempos se me iba haciendo niño concreto, encorbatado, quieto, sometido a biografía, preso de vivo y muerto a fin de cuentas. Todo esto lo sentía yo, como un milagro inverso, como una resurrección del revés, como una caída en la verticalidad, dentro del velludillo y de la sombra, gravemente, pesadamente, cuando alguien me empujó un poco por la espalda.

Comprendí que era mi momento. Bajé o subí larguísimos peldaños alfombrados. Tres o cuatro. Di unos pasos hacia Franco, no sé si muchos o pocos. Nadie le había mirado nunca tan de cerca. De pronto me vi ante sus ojos fijos, vacíos, claros, oscuros, inexpresivos, minerales y blandos al mismo tiempo. Acababa de ganar la guerra civil y era ya un anciano de cien o doscientos años, con todas las taraceas de la edad y la enfermedad en su rostro mínimo, embalsamado por una luz que no era del cielo ni de la tierra, y como enchufado todo él a cables de sangre y tornillos de calambre, fósil y máscara, mito y momia, tótem y tabú, viejo viejísimo. Como si una garra le tirase del cuello y del rostro, desde dentro del pecho, crispando su palidez de cuerdas y verticalidades. Podía ser un anciano levísimo o una momia de hierro. No sé si dije, en un grito del tamaño de la música, o murmuré para mí mismo:

—Pero este hombre está muerto.

Madrid, 1979/80.

Los helechos arborescentes

Memorias mágicas de un niño intemporal, que viene de los cuadros tenebristas y va hacia el encuentro alucinante con Franco, pasando por la picaresca del Siglo de Oro y el esperpento de Goya y Valle-Inclán. Historia irracional de España y sus guerras civiles, magno mural expresionista donde el anacronismo es la clave poética y los siglos se dan la mano para bailar el minué sangriento de nuestro sempiterno guerracivilismo. Juego de círculos concéntricos donde el círculo mayor va cabiendo siempre en el menor: España y la Historia resumidas en sus contiendas civiles, imperiales, coloniales, religiosas. Todas esas contiendas resumidas en la del 36—39. La contienda 36—39 dentro de una casa de lenocinio de Valladolid. Valladolid y la casa de lenocinio dentro de la memoria inmemorial de un niño, Francesillo, que asiste a la Historia, recadea a las meretrices, hace de monaguillo maldito en el doble culto de la prostitución y la religión.

Francisco Umbral ha escrito la novela de un niño que vive dos vidas paralelas, complementarias, que se aureolan y justifican una a la otra dentro de su alma escalonada en tres estadios como los tres patios sucesivos de su casa: la cultura, la gente, la soledad. Figuras de la Historia (Zumalacárregui, Zorrilla, Mariano de Cavia, Millán-Astray, don Alvaro de Luna, Franco), de la cultura (la Pardo Bazán, Giner de los Ríos, Giménez-Caballero, Estebanillo González) y de la intrabiografía mágica del niño narrador, van y vienen libremente por siglos como salones, se encuentran, se saludan y se matan. Un gran esperpento histórico —resuelto en un claro, rápido e insólito estilo literario— que es sin duda la obra más ambiciosa y lograda, y probablemente polémica, de su autor.

P.V.P.: 320 ptas. Sólo hasta el 15 de septiembre de 1980.
A partir de esta fecha: P.V.P.: 495 ptas.